TYWYLL HENO

TYWYLL HENO

Stori Fer Hir

gan

KATE ROBERTS

gwasg gee

Argraffiad cyntaf 1962
Pedwerydd argraffiad gyda rhagair newydd 2010

ISBN: 978-1-904554-07-3

Cydnabyddir gefnogaethariannol
Cyngor Llyfrau Cymru

Argraffwyd gan Wasg Gomer, Llandysul
Cyhoeddwyd gan Wasg Gee (Cyhoeddwyr) Cyf., Bethesda
www.gwasggee.com

I

Cassie Davies

Rhagair

'Gobeithiaf fedru sgrifennu nofel fer iawn cyn y Nadolig, ac wynebu holl wendid ein capeli Anghydffurfiol' meddai Kate Roberts mewn llythyr i Saunders Lewis ar Fawrth 8ed, 1961. Erbyn Tachwedd 1962, yr oedd Tywyll Heno wedi ei gyhoeddi, un o weithiau mwyaf diddorol yr awdures.

Gwraig yn colli ei ffydd, yn mynd i ysbyty meddwl, yn trechu ei salwch, ac yn llwyddo i wynebu'r dyfodol – dyna sut y disgrifir Tywyll Heno yn aml, yn dwt ac yn gryno.

Ond canolbwynt y nofel yw 'holl wendid' cyfundrefn grefyddol, ac effaith hynny yn arbennig ar wraig i weinidog Anghydffurfiol. Cymeriad gwydn iawn, gwraig ddeallus a hynod o onest yw Bet Jones yn wynebu argyfwng gwacter ystyr ei hoes. Mae'n colli amynedd efo'r drefn grefyddol a rhagrith aelodau'r capel sydd dan ofalaeth ei gŵr, 'aelodau o glwb....erioed wedi treio byw fel Cristnogion'. O ganlyniad i'w methiant i fyw gyda'r rhagrith hwn, caiff ei hanfon i ysbyty meddwl.

Mae'r ymdriniaeth o briodas a dyletswydd gwraig at swydd ei gŵr yn cael ei drafod yn ddeifiol yma, ynghyd â'r frwydr rhwng pleser a dyletswydd. Hyn a'i gwnaiff yn nofel yr un mor berthnasol yn 2010 ag ydoedd hanner can mlynedd yn ôl. 'Mewn conglau y cynhaliem gyfarfodydd erbyn hyn; hen bobl wedi mynd i'r gongl ac yn swatio; eto yn disgwyl i rywbeth ddigwydd' – mae arddull finiog Kate Roberts yn dal i'n herio yn ein hawddfyd. Eto, ar yr un pryd, gall bortreadu bodlondeb llwyr, ac mae ei phortread ym mhennod chwech o wraig yn creu ei horig berffaith yn un o'm hoff ddarnau, ac yn dangos ei dealltwriaeth o'i hochr fenywaidd.

O Wasg Gee, yn yr un flwyddyn, daeth Un Nos Ola Leuad Caradog Prichard, a agorodd bennod newydd yn hanes llenyddiaeth Gymraeg. Dyma'r nofel a ddenodd y sylw mwyaf, ond mewn amser, credaf y bydd Tywyll Heno yn cael ei phriod le. O safbwynt benywaidd, dyma'r nofel sy'n torri tir cwbl newydd trwy egluro caethiwed gwraig mewn cymdeithas Gymreig, maes y mae mawr angen ei astudio. Efallai mai trosedd fwyaf Bet Jones oedd lleisio ei phrotest mewn cymdeithas oedd yn credu mai bodau tawel ddylai gwragedd fod, yn enwedig gwragedd gweinidogion.

Angharad Tomos, Chwefror 2010

Cydnabod diolch

Hoffwn ddiolch i'r Dr Peter Hughes-Griffiths, Ysbyty'r Meddwl, Dinbych, ac i'r Parchedig Cyril Williams, B.A., Rheithor Dinbych, am fy ngoleuo ar faterion a oedd yn dywyll iawn i mi.

1

Cyn imi lawn ddeffro gwyddwn fod Sali uwch fy mhen yn barod i dynnu fy llygaid o'u tyllau wedi imi eu hagor. Yr oedd hi fel hyn bob bore, fel rhyw Gandhi yn ei choban gwta, efo'i thraed mawr a'i choesau tenau. Ei gwallt wedi'i glymu fel cynffon ceffyl a'i cheg ddi-ddannedd yn cnoi rhyw ddeilen de ddychmygol. Daeth uwch fy mhen ac edrych i ddyfnderoedd fy llygaid, a minnau'n sbïo, ac yn ceisio treiddio trwy'r blisgen fyslin a guddiai gannwyll ei llygaid hi. Bob bore deuai fel hyn a gofyn,

'Ydy gwraig y pregethwr am regi heddiw?'

Y hi oedd y diafol a'm temtiai yn y lle yma.

Pam yr ydwyf wedi meddwl bob amser am y diafol fel dyn? Merched ydyw'r diawliaid, a mae pob merch wedi mynd i mewn i Sali. Hyd yn hyn gellais wrthod ei phlesio hi, ond mi fyddwn yn siŵr o wylltio ryw fore, a wedyn byddai gohirio mynd adre.

'Nyrs, gyrrwch Sali i'w gwely.'

Diflannodd fel cynffon llygoden i dwll, rhoi ei phen dan y dillad a chwarae mig efo hwynt, ac yna chwerthin fel plentyn direidus.

Yr oedd Jane yn y gwely wrth fy ymyl fel delw wen ar garreg fedd. Ni fedrai neb ddweud a oedd hi'n cysgu ai peidio. Un darn gwyn oedd hi o'i gwallt i draed ei gwely, a'i modrwy ar y cwilt gwyn fel cilcyn o leuad melyn. Yr oedd hi fel hyn drwy'r dyddiau.

'Ydach chi wedi deffro Jane?'

'Ydw,' yn ddistaw.

'Sut ydach chi heddiw?'

''Run fath.'

'Hidiwch befo, mi ddaw ych gŵr chi i edrach amdanoch chi.'

'Pam?'

''Dwn i ddim. Wyddoch chi, i edrach amdanoch chi, i weld sut yr ydach chi.'

'Pam?'

'I weld ydach chi'n well, 'run fath â fi. Mi'rydw i'n well.'

'Ddo i ddim yn well.'

'Oes arnoch chi ddim eisio mynd adra?'

''Does gen i ddim cartra, mae Ned wedi'i werthu fo.'

'Nac ydy, chi sy'n meddwl.'

'Dydw i ddim yn medru meddwl, dim ond gorfadd yn llonydd.'

A dal i orwedd yn llonydd yr oedd hi a phawb arall yn y ward. Magi yn y gwely pellaf wedi troi ei chefn ar bawb, ar y drws ac ar y byd. Ni ddeuai neb byth i edrych amdani. Yr oedd hi wedi darfod â bod, yn gorwedd fel styllen, dim ond bod ei llaw o dan y dillad yn rhoi plwc rŵan ac yn y man. Yr oedd Lisi wedi codi o'i gwely ac yn eistedd ar y gadair yn wynebu'r drws fel y byddai hi bob dydd. Bob tro y deuai rhywun trwyddo rhoddai ei phen ar un ochr a cheisio edrych trwyddo fo i'r cyntedd oedd yn mynd ac yn mynd yn bellach ac yn bellach fel ffordd haearn yn culhau at y gorwel. Yr oedd y cyntedd yma, yn gwneud imi feddwl am y BYTH hwnnw y byddwn yn ei gyfrif pan oeddwn yn blentyn heb fyth ddyfod i'w ddiwedd. Petai'r drws yn llydan agored ni buasai Lisi'n gweld dim ond hynny, ac nid oedd ganddi obaith y gwelai fynd trwyddo byth. Byddem wedi ein mwydo yn yr un drewi, bob bore, drewi dŵr pobl a thipyn o ddiheintydd ar ei wyneb fel powdr 'oglau da ar groen budr.

Mae Gruff yn dweud wrth Geraint yn y gegin gartref,

' 'Sgwn i sut mae dy fam heddiw?'

'O, mae hi'n well'

'Ydy, mi ddaw adre gyda hyn.'

'Mi fydd wrth i bodd clywed am y ddrama bach.'

'Rhaid bod reit ochelgar wrth sôn amdani hi. Mi eill unrhyw beth i throi hi oddi ar i hechel er i bod hi'n well.'

Yr wyf yn eu clywed yn siarad wrth fwyta eu brecwast, a Nel, y gath, yn rhedeg a'i chynffon i fyny i'r gegin bach i gael soseraid o lefrith. Mae Gruff yn sychu'r llestri a'r jwg ar ei frest, yr un fath â dyn, yn sbio i'w waelod a'r lliain sychu llestri yn lwmp yn ei law. Mae Geraint yn baglu ar draws y cadeiriau yn ei frys i gychwyn am yr ysgol; yn chwilio am ei gap yn y lobi; yn rhedeg i nôl llyfr i gell ei dad, a chlep ar y drws, clep sy'n gadael ei chryndod yn y gegin; y tawelwch mawr yn y tŷ a Gruff yn ei ganol. Mae o'n rhoi glo yn y stôf; yn codi ei lygad i edrych o'i gwmpas i weld a oes rhywbeth eto i'w wneud. Mae Nel yn mewian yn y gegin bach ac yntau'n agor y drws iddi fynd allan. Mae o'n dyheu rŵan am fynd i'w gell i gael smôc a darllen ei lythyrau. Mae o'n croesi'r darn carped sydd wedi gwisgo. Sawl gwaith yr wyf wedi sbîo ar y darn yma a dyheu am garped newydd? Mae o'n edrych ar flerwch ei ddesg ac ar y pentwr llythyrau; mae'n edrych yn fras trwyddynt heb eu darllen cyn dechrau smocio; yn lluchio'r dwaetha ar y pentwr; y lluchio difater hwnnw sy'n dangos nad oes dim byd o bwys yn eu plith. Mae o'n eistedd yn yr hen gadair flêr gysurus; yn tynnu ei bwrs baco allan; yn rhoi ei getyn wrth geg y pwrs a'i lenwi'n araf ofalus. Mae o'n symud ei ben i fyny ac i lawr wrth dynnu yn ei bibell fel ceffyl yn bwyta gwair ac yn mwynhau'r mwg sy'n cyrlio'n wyn i'r awyr. Mae o'n meddwl ac yn meddwl yn synfyfyrgar; yn crychu ei dalcen yn bryderus ac yn edrych ar sbotyn ar y llawr heb ei weld. Gwn beth sy'n mynd trwy'i feddwl.

'Fydd Bet yn well wedi dŵad adra?'

B-r-r. Dyna'r teliffon.

'Ia . . . O. Sut ydach chi Mrs Williams . . . Pwy sy'n sâl? . . . John Huws, Tŷ Canol. Yn yr hospital ddwetsoch chi, yn y dre? Ers pryd? . . . Ddaru chi ddim colli amser os mai bore ma'r aeth o. Mi a'i i lawr i weld o rŵan.'

Mae Gruff yn rhoi braich y teleffon i lawr mewn tymer. Mae ei galon yn dweud 'dam' ac 'I uffern â merched busneslyd. Mi'r oedd Bet yn iawn. Rhaid i chi fod yn wallgo i weld yn iawn.' Ond mae ei wyneb yn hollol ddifynegiant. Â i nôl ei het a'i gôt, ac mae ganddo wên i Annie sydd wedi cyrraedd y tŷ i llnau. Cyn pen munud mi fydd y cadeiriau ar ben y bwrdd a'r tŷ yn ferw drwyddo wrth i Annie sgerbydu drwy'i gwaith. Mae'r tawelwch wedi mynd, y tawelwch a gawn i bob bore am flynyddoedd wedi i Geraint ddechrau mynd i'r ysgol. Byddwn yn morio ynddo.

'Codwch o'ch gwely, Mrs Jones.'

Llais y nyrs.

''Rydach chi'n gorfadd gormod ac yn synfyfyrio.

Treiwch chwerthin.'

'Am be' y ca'i chwerthin yn y fan yma?'

Nid oedd gan y nyrs ddim i'w ateb. Llais er mwyn llais ydoedd. Ni châi ei chlywed ei hun yn awdurdodi fel arall. Rhoddais fy nghoesau wrth ei gilydd; eu codi a'u troi fel agor gwyntyll cyn eu rhoi i lawr. Minnau yn dangos fy hydwythedd yng nghanol hen wragedd a'u haelodau wedi mynd yn anystwyth. Yr oedd yn rhaid imi wneud rhywbeth yn lle meddwl; yr oedd fy meddyliau yn ymgordeddu fel nadroedd, heb byth ddatgordeddu. Penderfynais fynd at Magi a gwneud iddi droi.

'Magi.'

Dim symudiad.

'Magi.'

Llonyddwch eto. Euthum ar fy ngliniau a chrefais arni droi, crefu fy nymuniad ataf fi fy hun. A dyma'r corff trwm yn troi mor afrosgo â buwch nes oedd y gwely yn gwichian. Daeth ei hwyneb gyferbyn â'm un i. Wynebau mawr fel dynion oedd gan y merched hen yma i gyd. Yr oedd llinynnau ei gwddw wrth fy ngheg i, ei gwddw hefyd fel gwddw buwch, ond ei brest yn ifanc. Agorodd ei llygaid glas caredig, llygaid heb fod yn edrych yn syth.

'Pwy ydach chi?'

'Mrs Jones.'

'Beth ydach chi'n i wneud yn fan'ma?'Rydach chi'n rhy ifanc.'

''Run peth â chitha. Treio mendio.'

''Rydw i wedi mendio, ond 'does gen i ddim cartra i fynd iddo fo.'

Y fi aeth yn fud rŵan. Yr oedd rhywbeth yn fy

nhynnu gerfydd fy ngwallt. Sali oedd yno, ond ni hudodd fi i godi. 'Magi, oes gynnoch chi deulu?'

Edrychodd heibio i mi ar rywbeth anweledig, ond gwyddwn mai fi oedd hi yn i weld.

'Nag oes, neb agos iawn.'

'Ond mae gynnoch chi rywun?'

'Oes, nith yn rhywle. Ond 'dwn i yn y byd lle mae hi.'

'Fuo hi'n edrach amdanoch chi?'

'Naddo, 'rioed.'

Gafaelodd Sali ynof a'm lluchio oddi wrth y gwely.

'Cerwch o'ma, y wraig gweinidog ddiawl. Pam na adewch chi lonydd inni yn lle busnesu?'

Fi yn busnesu! Heb unrhyw ddiddordeb gennyf mewn pobl sâl. Euthum i wisgo amdanaf a'r dagrau'n boeth yn fy llygaid. Ceisiwn eu cuddio wrth iddynt ddisgyn ar fy nillad, rhag i'r nyrs eu gweld a chlepian wrth y meddyg. Wedi imi godi fy mhen gwelwn fod Magi wedi gwthio Sali oddi wrth ei gwely a'i rhoi i eistedd ar gadair. Yr oeddwn i wedi meddwl wrth ofyn am gael gadael y Wenallt a dyfod i'r lle mawr fy mcd yn dŵad i le tawel, y cleifion wedi ymlonyddu ac nad oedd yn bosibl eu cynhyrfu. Ond nyth cacwn oedd yma hefyd. Medrai pobl fel Magi hyd yn oed droi. Yr oedd fy ngwynt yn cronni eto, a'm calon yn curo'n brysur anoddefgar, wrth imi dreio cadw'r cynnwrf yn ôl. Ceisiais gadw Sali tu ôl i'm cefn, ond yr oedd hi o'm blaen yn sbîo dan fy llygaid.

'Crio ia?'

Dyma floedd o'r gwely pellaf.

'Gadwch lonydd iddi.'

Magi wedi gwylltio, a minnau heb glywed ei sŵn er

14

pan ddeuthum yma.

'Y hi ydy'r unig un sy wedi cymryd sylw ohono'i.'

Gweddiaf rhag i'r tân a gychwynnais ymledu ac i'r lle fynd yn bentraffollach, ac i hynny fy ngyrru'n ôl. Cododd Sali fy ngên, ac edrych i'm llygaid wedyn, ond ni fedrwn i edrych ar ei llygaid hi; yr oedd eu malais yn ormod.

'Chewch chi ddim mynd adre.'

Caeais fy ngwefusau'n dynn wrth geisio gorchfygu'r diafol.

'Hitiwch befo Mrs Jones,' oddi wrth Jane lonydd

Ar hynny cododd Magi wedyn a rhoi Sali i eistedd yn ei chadair.

'Os nad ydach chi'n gadael llonydd i Mrs Jones mi'r ydw i'n mynd i alw ar y nyrs.'

'O, naci Magi, er fy mwyn i, peidiwch â galw ar y nyrs.'

Erbyn hyn yr oedd fy nagrau wedi mynd, a phoen caled wedi dyfod i'm brest. Y fi, a boenodd dros anifeiliaid direswm a gâi gam, heb feddwl bod pobl fel Magi wedi eu cuddio mewn corneli yn y byd, heb neb yn meddwl amdanynt. Nid oedd ryfedd bod Gruff yn ateb pob galwad.

Daeth tawelwch i'r ward. Yr oedd y frwydr erbyn hyn yn galetach gan fod y lle yn gyfyngach. I bob pwrpas yr oedd Sali wedi gadael y byd ac eto, yr oedd rhyw gythraul ynddi na fedrai adael llonydd i bobl eraill.

Yr oedd Gruff yn dyfod i edrych amdanaf yn y prynhawn. Eisteddais yn y gadair a chau fy llygaid i feddwl a llenwi'r amser rhwng hynny a dau o'r gloch. Yn y lliwiau o flaen fy llygaid gwelwn bob dim efo'i gilydd ar yr un eiliad, y capel, y ceinciau yn y panel yn y festri,

Gruff yn y pulpud, yr ystafell eistedd yn y Wenallt, a'r merched yn eistedd ar y cadeiriau esmwyth, yn gwau, yn gwnïo, yn rhedeg drwy'r cylchgronau lliwgar, yn siarad.

'Mae merch y ddynes drws nesa i mi yn priodi yr wsnos nesa, efo clarc o'r banc, hogyn neis iawn, *white wedding* a brecwast yn y *Blue Bell*'

'Yn y capel ynte yn yr eglwys?'

'Yn yr eglwys? *setting* neis iawn i *white wedding.*'

'I b'le maen' nhw'n mynd ar y Sul?' gofynnais i.

'O, wyddoch chi, 'dydw i ddim yn meddwl i bod nhw'n mynd i unlle rŵan, i'r capel yr oedden' nhw'n arfer mynd Ond 'dydy priodi mewn offis ddim yn beth neis iawn.'

'Mae o'n beth reit onest,' meddwn i wedyn.

'Ydy wir,' meddai Mrs Hughes a eisteddai wrth fy ochr, 'llawer rheitiach i lawer ohonyn' nhw briodi ffwr' â hi mewn offis, yn lle bod pobol yn gorfod aros am i harian i dalu am y crandrwydd. Printer ydy 'ngŵr i, a 'dydy rhai ohonyn' nhw ddim yn meddwl talu am i cardiau priodas.'

'A mae rhai ohonyn' nhw yn cael plant cyn i hamser.'

'O,' meddai Mrs Humphreys, 'mi fydda' i'n gweld priodas mewn capel neu eglwys yn beth reit neis, dim ods beth ydy i cyflwr nhw. 'Does neb yn edrach ar beth felly heddiw.'

Tewais, rhag ofn imi wylltio.

'A mae Mrs Lewis yma yn nain heddiw.'

'Ydw, fy merch i wedi cael *beautiful baby boy.*'

Edrychai'r lleill mor edmygol ar Mrs Lewis â phe bai hi'n nain i Dywysog Cymru.

''Rydw'i am fynd i orfadd ar fy ngwely,' meddwn i

16

wrth Mrs Hughes.

''Ga'i ddŵad efo chi i eistedd am dipyn?'

Yr oeddwn i'n medru goddef Mrs Hughes. Yr oedd yn braf cael gorwedd ar y gwely ac edrych arni'n gwau. Mor hardd oedd rhychau ei hwyneb hi rhagor na chnawd llyfn wynebau diboen y lleill.

''Fedra'i ddim diodda gwrando ar i siarad nhw,' meddai hi toc, 'fedran' nhw ddim siarad am ddim ond rhywbeth sydd â wnelo fo â babis. Ydach chi wedi sylwi ar i llygaid nhw?'

'Nag ydw i.'

''Dydyn' nhw'n newid dim, ffordd bynnag yr edrychan' nhw; 'does yna ddim byd yn i llygaid nhw ond bodlonrwydd.'

'Pam maen' nhw yma ynte?'

'Does arnyn' nhw ddim brys i fynd adre. Maen' nhw wedi cael yma yr hyn oedden' nhw'n fethu i gael gartre.'

''Beth felly?'

'Crandrwydd a moethau. 'Rydw i'n digwydd 'nabod dwy ohonyn' nhw. ''Doedd dim digon o grandrwydd iddyn' nhw i gael. Mae'r Ile yma yn i bodloni nhw. Yma am fy mod i wedi colli yr ydw i. 'Ydw i yn ych blino chi?'

'Nag ydach. 'Rydw i wrth fy modd yn gwrando arnoch chi.'

'Un hogyn sy gen i, a mae o wedi mynd yn hogyn drwg. Mae o yn y jêl rŵan, 'waeth imi heb na dweud wrthoch chi sut yr aeth o yno.'

Aeth fy meddwl at Geraint.

'Ydach chi'n poeni llai yn i gylch o rŵan?'

'Ydw. A mi'r ydw i'n cael mynd adre un o'r dyddiau nesa' ma.'

'Mae'n dda gen i.'

'Fedra'i ddim dweud sut yr ydw i wedi mendio, ond mae 'ngŵr i wedi dŵad yma o bell ffordd bob wsnos i edrach amdana'i, a mae o'n benderfynol o dderbyn yr hogyn yn ôl a rhoi ail gynnig iddo fo. 'Roeddwn i wedi mynd i feddwl na wnâi o mo hynny, 'roedd o mor ddig ar y cychwyn a finna hefyd o ran hynny.'

'Chwarae teg i'ch gŵr.'

'A rŵan, mi welais i y byddai'n rhaid imi ymdrechu i roi'r ail gynnig yma, a mi roth meddwl am y peth ryw sbonc imi. Yr oedd yn rhaid imi godi o'r digalondid cyn y medrwn i ymdrechu i godi fy mhlentyn.'

''Rydw i'n siŵr ych bod chi'n iawn.'

Teimlwn y byddwn yn hollol grintachlyd pe bawn i'n peidio â dweud dim amdanaf fy hun.

'Yma am fy mod i wedi colli rhywbeth yr ydw inna hefyd, ond mae'n anodd imi ddweud.'

''Does dim rhaid i chi, os na fyddwch chi'n teimlo'n well ar ôl dweud.'

'Colli fy ffydd wnes i.'

Cododd Mrs Hughes ei phen oddi ar ei gwau ac edrych arnaf.

'Mi es yn ddigalon ac yn isel fy ysbryd am fy mod i'n gweld nad oedd dim ystyr i fywyd. 'Fedrwn i ddim credu bod Duw yn rheoli'r byd wrth weld yr holl greulondeb sydd ynddo fo, a 'roeddwn i'n gweld nad oedd dim gwahaniaeth rhwng pobol y capel a phobol y byd. Ydach chi'n gweld, gwraig i weinidog ydw i.'

'Felly 'rydw i'n dallt. Mi glywais i'ch gŵr chi'n pregethu — yn dda hefyd. Ond fedra'i ddim mynd cyn ddyfned â chi. 'Rydw i'n mynd i'r capel a derbyn pob dim heb amau. Ond rhywsut 'fedrwn i ddim gofyn i Dduw helpu fy hogyn i pan aeth o i lawr yr allt.'

'Piti.'

Yr oedd yn chwith iawn gennyf pan aeth Mrs Hughes adref, a dyna'r pryd y gofynnais am gael dŵad yma i'r lle mawr. Tybiwn y byddai'n well gennyf gwmni merched hen yn byw mewn byd hollol ar ei ben ei hun, wedi eu torri i ffwrdd oddi wrth y byd tu allan, ac efallai yn hapus oherwydd hynny.

Euthum mewn brys i'r neuadd erbyn dau o'r gloch gan wybod y byddai Gruff yno, a'r tro hwn rhedwn ar hyd y cynteddoedd a'u gweld yn mynd heibio imi fel pe bawn mewn trên. Yr oedd arnaf gymaint o eisiau ei weld â'r amser yr oeddem yn caru, a'r un fath â'r amser hwnnw yr oeddem yn eistedd wrth fwrdd bach yn cael te efo'n gilydd ac yn siarad cyfrinachau. Yr oedd y lle yn llawn o ymwelwyr a chleifion, rhai yn gorfod rhannu byrddau efo rhai eraill. Aeth Gruff i nôl dwy gwpanaid o de at gownter y cantîn, ond cyn iddo gael mynd yn ôl i brynu'r brechdanau, dyma wraig oddi wrth un o'r byrddau yn croesi atom, gwraig siriol yr olwg.

'Hwdiwch, cymerwch rai o rhain gen i. Ydach chi'n well Mrs Jones?'

Edrychai Gruff yn swil.

'Ches i ddim amser i dorri brechdanau na dim cyn cychwyn.'

'Diolch yn fawr i chi,' meddwn wrth y wraig, a'm gwerthfawrogiad yn rhywbeth braf i'w deimlo.

'Mae gynni hi ferch bump ar hugain oed yma,' meddai Gruff wedi iddi hi fynd, 'achos anobeithiol mae arna'i ofn. 'Rydw'i wedi'i gweld hi lawer gwaith yma.'

Gwneuthum fy ngorau i beidio ag edrych o'm cwmpas. Ond yn ddiweddarach, wrth edrych ar yr ystafell i gyd, gwelwn yr holl le fel rhyw ystafell mewn tŷ bwyta yng Nghaerdydd, yn ferw trwyddo i gyd, ac eto yr oedd ei awyrgylch fel dyfod i ryddid oer, gwyryf ar ôl awyrgylch y ward. Y munud nesaf yr oedd fel te parti mewn festri a'i sŵn yn ei grynswth fel sŵn llawenydd. Ond wrth edrych ar bob bwrdd fesul un, tristwch oedd yno. Yr oedd claf a pherthynas yng nghegau ei gilydd, y perthynas fel pe bai yn ceisio croesi'r bont rhyngddo a'r claf, o feddwl un i'r llall, fel pe bai am fynnu tynnu'r anhwyldeb allan o'r claf wrth fynd cyn nesed ag y medrai at ei wyneb. Ambell glaf yn dweud dim a'i berthynas wedi mynd yn fud wrth beidio â chael ateb. Claf arall yn llowcio ei frechdanau fel pe bai ar lwgu. Ambell wraig glaf wedi ymwisgo'n ddel, rhai eraill yn nillad yr ysbyty, y gymysgedd ryfeddaf o ddynoliaeth. Eisteddai rhai cleifion ar gadeiriau — ni ddaethai neb i'w gweld neu yr oeddent yn hwyr yn cyrraedd. Estynnodd Gruff fwrdd iddynt a chadeiriau ac aeth i nôl te a brechdanau iddynt. Gwenasant yn hapus.

'Beth petaen' ni'n gwybod beth sy'n mynd trwy feddwl pawb yn y fan yma 'rŵan', meddwn i.

'Na ato Duw, fedren ni mo'i ddal o.'

Yr oedd golwg ddigon rhyfedd ar Gruff ei hun, sbandiau ei grys a'i goler heb fod yn rhy lân, angen torri ei wallt arno, golwg flinedig ar ei wyneb, ac eto yn edrych fel pe bai newydd gael newydd da.

'Ydy Annie ddim yn golchi iti?'

'Ydy, rhyw lun. Ddoe y rhois i'r crys yma amdana', crys glân i fod.'

'Mae'n hwyr imi ddŵad adre.'

'Nid i olchi — ond i ni dy gael ar yr aelwyd. Mae twll gwag yn fanno.'

'Mi ddaw hynny. 'Rydw i'n well o lawer'.

'Pryd y cei di fynd o flaen y doctor eto?'

''Dwn i ddim. Ond nid y fo fedar ddweud mod i'n well. 'Rydw' i'n gwybod mod i'n well.'

Edrychodd arnaf fel pe bai'n archwilio fy wyneb.

'Ydw', mi'r ydw' i'n well, yn well o lawer na phan fûm yn ei weld ddwaetha'.'

''Rydw i wedi bod yn meddwl tybed fasa'n well i mi gael lle yn athro.'

Neidiodd y dagrau i'm llygaid.

'Fedra i ddim meddwl am iti adael y weinidogaeth.'

'Er dy fwyn di y baswn i'n gwneud.'

''Does dim rhaid iti 'rŵan, mi fedra i ddal y mân bigiadau yna. Y peth arall oedd yn bwysig, ac mi'r ydw i'n gweld yn glir rŵan.'

'O, mae'n dda gen i Bet.'

'A fyddet ti ddim gwell mewn ysgol. Rhaid iti fyw efo phobol yn fanno.'

'Ond, fyddai ddim rhaid imi dreio eu hachub nhw.'

'Mi gawn ni drin pethau fel hyn pan ddo'i adre. I beth mae eisio poeni rŵan.'

Carreg ateb oedd hyn o'n siarad pan oeddem yn caru. Y munud hwn oedd y cwbl.

'Sut mae Geraint?'

'Yn ardderchog. Wel, mae o'n dda iawn a chysidro. Eisio dy gael di adre sy arno yntau, a mae Nel yn chwilio amdanat ti o hyd. Mae Geraint yn gwneud yr unig beth fedar o i bontio'r amser — gweithio'n galed. Be ddyliet ti, mi chwaraewyd dy ddrama bach di neithiwr.'

Cododd y gwaed i'm hwyneb. Gwelais rywun wedi ei chynhyrchu a'i mwrdro.

'Y fi cynhyrchodd hi. 'Wnes i ddim cystal ag y baset ti'n gwneud, ond mi'r oedd pawb wedi'i mwynhau hi, ac mi'r oedd y festri'n llawn. Mi ddaru Geraint a Mr a Mrs Bryn weithio'n galed i gael y llwyfan yn iawn. Mi 'roedd y plant wedi gwneud casgliad. a nhw sydd wedi anfon y blodau yma iti y tro yma.'

Rhedai'r dagrau i lawr fy ngruddiau erbyn hyn. Gweld Gruff yn hoffus wedi mynnu ei chynhyrchu hi, siom na fuaswn i yno, a meddwl am deyrngarwch y plant a'r mwyafrif.

'Wyt ti ddim yn falch?'

'Ydw, ond cha'i mo'i gweld hi.'

'Cei, mi gei. Mae pawb yn gweiddi am i chael hi eto. Mae gen i newydd arall iti. Mae Melinda wedi dŵad adre.'

'Naddo, 'rioed.'

'Wedi dŵad yn gynt am dy fod ti'n sâl.'

'Y greadures ffyddlon.'

Ni wyddwn a oeddwn yn falch ai peidio. Yr oedd arnaf eisiau mynd adref at Gruff a Geraint, fel pe na bai neb arall yn bod, a chael bod yn y tŷ fy hun, a chael dysgu cerdded heb ganllawiau eto.

''Rydw i'n gobeithio na ddaw pobol i edrach amdana'i pan ddo'i adre.'

'Mi fydd yn anodd i rhwystro nhw.'

Wrth sôn am hyn aeth fy meddwl yn syth at Magi a dywedais ei hanes wrth Gruff. Cyn imi orffen bron yr oedd o wedi mynd i'w gweld, ac yr oedd yn ei ôl cyn pen dim wedi canfod pwy oedd ei nith, ac yr oedd am ysgrifennu ati.

'Ta-ta Gruff bach, a fedra i byth ddiolch digon iti am gynhyrchu'r ddrama.'

Teimlwn ar y munud yr hoffwn ddengid a mynd yn ôl efo fo. Ond cofiais am Magi a Sali a Jane a Lisi yn eu carchar caeth, di-obaith. Safwn yn y drws rhwng y neuadd a'r cyntedd, y blodau yn fy nghesail, a daliwn i godi fy llaw ar Gruff ac yntau arnaf finnau.

Dechreuodd y dynion ysgubo'r llawr. Aeth yr ymwelydd olaf drwy'r drws. Diflannodd y cleifion, a chyn pen dau funud yr oedd y neuadd yn hollol wag. Un o gwmni mawr oeddwn innau yn cerdded yn ôl yn araf i'r ward.

'Sut oedd y gweinidog?'

'Yn gariad i gyd Sali.'

Yr oedd yn ddrwg gennyf imi ddangos y fath hapusrwydd cyn gynted ag y daeth y geiriau o'm genau.

'Mi gwelsoch o,' meddwn i wedyn.

'Do, yn ddigon blêr.'

'Dangos bod eisio'i wraig o fynd adre.'

Troes Magi ohoni ei hun.

'Dowch yma. Mae'ch gŵr chi am sgwennu at fy nith, ond 'waeth iddo fo heb. 'Ddaw hi ddim.' Troes ei chefn ataf.

Y noson honno ni fedrwn gysgu dim. Troai fy sgwrs efo Gruff yn fy mhen; awn dros bob gair ohoni a chnoi cil ar bob teimlad a gefais, a'r teimlad o edrych ymlaen at gael mynd adref. Deuai amheuaeth, a oeddwn i wedi synio yn rhy fuan fy mod yn mendio, a gawn siom ar ôl bod o flaen y meddyg? Yr oedd y meddygon yn alluog iawn, a'u gwaith hwy oedd tripio rhywun fel fi.

Ar wastad fy nghefn yn fy ngwely, ceisiais eto fynd o gwmpas yr hyn a ddigwyddasai i mi yn ystod y misoedd cyn hynny. Edrychwn ar y peth fel rhyw ystafell Cynddylan ar ganol cae ar fin coedwig, a minnau'n mynd o amgylch yr adfeilion tylluanog, ac edrych i mewn i'r gwacter di-dân, di-wely.

Dechreuais yn y dechrau a mynd yn araf dros yr holl ddigwyddiadau, a medrais ddal y cwbl fel petai wedi digwydd i rywun arall.

2

Yn araf y daeth ac ni wn sut, heblaw bod y gair 'syrffed' yn fy mhen o hyd. Ysgrifennwn ef ar ddarn o bapur weithiau a cheisio gwneud cynghanedd ohono efo'r gair 'seirff' a methu. Gwelwn lawer mwy nag a welwn gynt, fel pe bai'r awyr yn deneuach, neu fel pe bai gwydr yn lle cnawd ar ben pawb, a minnau'n gallu gweld trwyddo i waelod eu meddyliau. Buasai adeg pan fwynhawn eistedd yn y gegin ar ôl golchi llestri cinio i ddarllen y papur dyddiol a Gruff wedi mynd allan i ymweled. Nid y newyddion oedd y moeth, ond yr eistedd i'w ddarllen ar ôl gorffen gwaith. Pe bawn i'n darllen llyfr yn ei le byddai rhywbeth ar goll; y pethau a âi ymlaen yn y byd, llofruddiaethau, lladrata, lladd ar y ffyrdd, torpriodasau, creulondeb at blant ac anifeiliaid (dim ond ciledrych ar yr olaf a wnawn a myned ymlaen, ond fe wyddwn drwy boen eu bod yno). Yr oedd rhamant yn y ffaith eu bod wedi digwydd. Âi ias drwof, bron na ddywedwn ias hapus, pan ddarllenwn enw rhywun a adwaenwn yng ngholofn y marwolaethau, dim ond am fy mod yn ei adnabod; yr oedd diddordeb yn yr adnabod. Ond erbyn hyn nid oedd yn foeth cael eistedd a darllen y papur o flaen y tân.

Dechreuais roi fy llach ar Gruff yn fy meddwl; pethau a gyfrifwn i yn rhinweddau troesant yn wendidau. Gwelwn fai arno am redeg cymaint i'w aelodau, a bod yno, fel plisman. yn barod at bob galwad. Nid oedd yn darllen llawer a pharatoai ei bregethau ar frys. Nid oedd Geraint yn gwerthfawrogi ei gartref bellach; gwelwn yn ei glopa yr awydd i ddianc, dianc rhag ei waith, rhag y capel, rhag syniadau ei rieni, dianc i fyd rhai yr un fath â fo'i hun; yr oedd a'i gefn ataf. Cyn hyn nid oedd seti gweigion y capel yn fy mhoeni'n ormodol; fe'm cysurwn fy hun drwy feddwl mai'r ychydig ffyddlon oedd y rhai a ddeuai i'r capel yn awr, bod Gruff yn gwybod pwy oedd pwy ac yn meddwl y câi'r rhai hyn ddylanwad ar rai eraill rywdro. Ond yrŵan gwelwn nad ffydd a ddeuai â hwy yno, pob math o bethau, ond nid ffydd. Ni chawn flas ar y canu am na roddid sylw i'r geiriau a genid. Dyhëwn am fynd adre at bryd o fwyd; am y bwyd y meddyliwn drwy'r gwasanaeth. Yr oeddwn yn unig am fy mod yn gweld gormod. O'r ychydig weddill yr oedd gweddill bach y cawn gysur yn eu cwmni o hyd. Mr Bryn, un o'r blaenoriaid a'i wraig, a Melinda.

Yr oedd yn ddydd Llun a'n gwyliau haf wedi dechrau ond bod Gruff wedi gorfod aros gartref i briodi rhyw bâr; y tŷ yn ei fowrnin o gynfasau llwch, pob man ond y gegin a chell Gruff. Yr oedd newid y drefn wedi fy ngwneud fel pe bawn wedi colli un trên ac yn cerdded yn ddibwrpas i aros un arall. Yn sydyn teimlais nad oedd arnaf eisiau mynd i'r bwthyn ger y môr lle'r arferem fynd bob blwyddyn. Nid oedd arnaf eisiau aros gartref ychwaith. Gallwn ddeall awydd Melinda am fynd ar y Cyfandir: yr eiliad nesaf ni fedrwn ei ddeall; yr oeddwn yn hongian yn ddi-le. Cawsom swper cynnar rhyddieithol efo gweddill y cig Sul. Pan roes Geraint y radio ymlaen dywedais wrtho yn snaplyd am gau ei geg.

'Ga'i fynd allan mam?'

'Dos di, a phaid ag aros yn hir.'

Sbonc Geraint i'r drws a distawrwydd; Gruff yn y gadair yn mynd trwy'r papur newydd a minnau'n gwybod ei fod wedi ei ddarllen unwaith o'r blaen.

Euthum i'r gegin bach i nôl y gweddill cig.

'Mae yma beth o hwn ar ôl eto, ella y bytith y gath o.'

'Beth am inni gael paned eto efo brechdanau cig a thomatos, a'i gael o yn y gell. Mae'r gegin yma'n ddigysur heb y stof.'

Pen mwdwl fy moethusrwydd i bob nos fyddai mynd i'r gell efo Gruff i dwymo fy modiau o flaen tân bach coch cyn mynd i'r gwely.

'Syniad ardderchog.' meddwn i, 'mi droa' i'r tân trydan ymlaen.'

Rhedais i'r gell gan ragweld mymryn o ddiddanwch. Wrth godi fy mhen ar ôl troi'r tân gwelwn olau'r ystafell yn taro ar yr ardd a'i throi yn ardd arall â'i hudlath, ac nid oedd y gell yr un fath ychwaith; yr oedd hi'n dwt a digon o le i roi hambwrdd mawr ar y bwrdd. Rhedais i baratoi'r tamaid, canodd y gloch a daeth Melinda i mewn. Pan oeddem ar fin dechrau daeth Mr a Mrs Bryn, a rhedais i nôl ychwaneg o lestri a brechdanau. Wrth inni fwyta âi gwefr o gysur drwof: yr oeddem i gyd yn bobl ganol oed a dyma'r bobl a hoffwn.

'Dyma beth ydy cysur,' meddai Melinda, gan godi ei thraed odani ar y gadair fel pe bai'n gath. Wyneb Mrs Bryn oedd y peth anwylaf yn yr ystafell, efo'i ffrâm o esgyrn bychain, ei chroen a'i dannedd glân, ei llygaid llwydlas, ei gwallt tywyll a'i thrwyn bach synhwyrus. Yr oedd yn rhaid bod yn ymyl Mrs Bryn i weld mor dlws ydoedd. Yr oedd harddwch Melinda yn goleuo stryd, ei gwallt aur, ei llygaid glaswyrdd, a'i chroen hufennog a'i dannedd perffaith.

'Fasa neb yn meddwl mod i newydd fyta,' meddai Mr Bryn, 'mae o'n beth braf cael byta mewn cwmni mae rhywun yn ei licio.'

''Roedden ni rhwng cromfachau ers meitin,' meddai Gruff, 'dyma'r ail swper i ninnau hefyd.'

Clertiai yn ei gadair yn fodlon, wedi tynnu gorchudd cefn y gadair i lawr a'i rinclo.

'Priodas neis?' gofynnodd Melinda.

'Oedd am wn i, wnes i ddim sylwi. 'Dwn i ddim pwy oedd yr un o'r ddau.'

'Dyna i chi beth ydy cynefindra,' meddwn i a theimlo syrffed ar briodasau.

'Mi gewch lonydd rŵan,' meddai Bryn, 'am dipyn,' wedi ail-feddwl.

'Y peth gora fydd cael gwared â'r Ungorn.'

('Ungorn' oedd ein enw cyfrinachol ni am un o'r blaenoriaid cecrus, ar ôl dafad Gwilym Hiraethog.)

Clywn Geraint yn dyfod i mewn. Rhoes ei ben heibio i'r drws. Daeth Nel y gath i mewn a neidio ar lin Melinda. Edrychodd arnom i gyd a chaeodd ei llygaid.

'Mae'r hogyn yma'n mynd yn dal,' meddai Melinda, 'tasa fo'n byw yn Ffrainc, mi fasa wedi priodi.'

Cochodd Geraint, cymerodd frechdanau ar blât, tywalltodd de iddo'i hun.

''Rydw i'n mynd i'r gegin i wrando ar ryw ddrama sydd ar y radio.'

Yr oeddwn yn filain wrth Melinda.

'Ydach chi'n mynd i ffwrdd Melinda?' gofynnodd Mrs Bryn.

'Byth ym mis Awst pan fydd un rhan o'r wlad wedi codi fel gwenyn i fynd i ran arall, mi fydda' i'n licio cael y Cyfandir i mi fy hun.'

'Dim ond estyn y tennyn dipyn hwy gawn ni,' meddwn i, 'a mi fydd plwc ar y tennyn tasa rhywun o'r eglwys yn digwydd marw.'

'Faswn i ddim yn dŵad i gladdu nhw wir,' meddai Melinda, 'gadewch iddyn' nhw gladdu'i hunain.'

Tynnodd sigarét allan a gwnaeth Mrs Bryn yr un peth. Euthum innau i nôl rhai i'r gegin. Cododd Gruff a thynnu llenni'r ffenestr at ei gilydd rhyngom a'r stryd. Tynnodd Bryn ei getyn allan a Gruff.

'Beth petai'r Ungorn yn ein gweld ni rŵan?' oddi wrth Bryn.

'Mi wnâi les iddo fo,' meddai Gruff, 'mi fydd arna i flys mynd ar fy sbri a chodi mwstwr tu allan i dŷ fo adeg cau'r tafarnau, a'i sleinsio fo i ddŵad allan am gwffast.'

'Pam na wnewch chi?' meddai Mrs Bryn yn ddifrif ddiniwed.

Aethom i chwerthin i gyd.

'Mi fydd yn anodd iawn i chi ddweud dim ar i ôl o ar ôl iddo fo farw,' ebe Bryn. 'Mae digon o eiriau amwys yn yr iaith Gymraeg.' Chwerthin wedyn.

Daeth yr amser i ymadael. Safai Gruff a minnau ar y rhiniog, Gruff a'i fraich am fy nghanol. Safent hwy eu tri ar lwybr yr ardd a golau'r lobi yn taflu arnynt, eu hwynebau yn y goleuni a'u cyrff yn y tywyllwch fel y bydd lluniau yn y papurau newydd yn dangos dim ond yr wyneb.

'Da boch chi. Da boch chi.'

Caewyd y llidiart, codwyd dwylo, caewyd y drws.

Y munud nesaf yr oedd mwgwd am fy llygaid ac yr oeddwn yn oer gan ofn.

* * * *

Ni ddaeth yn ôl hyd ddiwedd y gwyliau. Aethai'r dyddiau heibio fel pob blwyddyn. Diogi, bwyta'n gyntefig, darllen, sgwrsio pan ddeuai ein teuluoedd, crwydro yma ac acw, mynd i nôl wyau a llefrith i'r ffarm, ac yn lwcus heb un alwad ar i Gruff fynd yn ôl i gladdu neb.

Fel arfer hefyd fe ddaeth cyfeillion Gruff, dau weinidog ac un offeiriad. Dyna uchafbwynt ein gwyliau. Yr oeddem yn griw o gwmpas y bwrdd te yn y bwthyn, Geraint a Gwilym ei ffrind a wersyllai gydag ef yn y cae wedi mynd allan yn y cwch. Gallwn rithio'r pedwar dyn a'u gosod yn un o'r tai bwyta y darllenaswn amdanynt yn y dinasoedd mawrion. Dadleuent fel y llenorion hynny ac yr oeddynt yr un mor flêr eu dillad. Ni buasai neb yn meddwl eu bod yn ddim amgen na dadleuwyr tai bwyta mewn dinas. Wil oedd y taranwr. Pan ddaeth trwy'r drws yr oedd fel llong lwythog a'i gorun bron yn taro'r trawsbost, ei het yn troi i fyny yn y tu blaen, crafat am ei wddw, côt law amdano, ei phocedi yn bochio allan fel pynnau mul gan lyfrau, ac esgidiau uchel am ei draed. Cyn gofyn sut yr oedd neb.

'Beth wyt ti'n feddwl o hwn, Gruff?' ac estyn cyfansoddiadau'r Steddfod allan o un o'i bocedi.

''Rydw i wedi'i fwynhau o'n fawr.'

'Mwynhau, mwynhau,' gwaeddodd Wil, 'mwynhau'r ffasiwn sothach. Mae dyn yn edrach ymlaen bob blwyddyn am weld mymryn o athrylith, a 'does yna ddim byd ond tipyn o dalent a farnis arni.'

'Beth wyt ti'n ddisgwyl i gael?' gofynnodd Jac y person.

'Tipyn o ôl gweledigaeth. Dyma ni yn byw yn yr oes fwya terfysglyd welodd y byd erioed a 'dydy'r beirdd yma'n gweld dim byd ynddi ond cyfle i ddisgrifio, disgrifio erchyllterau rhyfel, disgrifio effaith yr oes newydd ar y dull Cymreig o fyw, y byd yn newid, hiraeth ar ôl yr hen bethau a galarnadu uwchben y golled o hyd. 'Does gan ddim un ohonyn' nhw yr iau i agor i enaid i hun a gweld be' sy'n fanno.'

''Rwyt ti'n iawn,' ebe Jac, ''rydan ni wedi mynd yn rhy heddychol neu'n rhy farwaidd. Mae'n rhaid i ddyn frwydro cyn y medar o sgwennu. Rhaid i rywbeth i gynhyrfu fo.'

Yr oedd Huw, y pregethwr bach tawel yn gwrando â'i lygaid, ei aeliau brith, trwchus yn codi bob hyn a hyn, fel pe bai ei feddwl yn eu gwthio i fyny.

'Mi'r ydan ni yn rhyw fath o frwydro,' meddai o, 'brwydro yn erbyn rhyfel, cocyn hitio nad ydy'o ddim yn bod ar hyn o bryd.'

''Rwyt ti'n iawn Huw,' meddai Wil, ''rydan ni'n sôn am heddwch fel petai posib i gael o. Yr unig heddwch gei di cyn mynd i dy fedd ydy gorfadd ar ganol cae ar wastad dy gefn trwy'r dydd a pheidio â meddwl am ddim.'

'Sut y cewch chi'ch bwyd?' meddwn i.

'Dyna'r drwg. Wrth hel i fwyd y dechreuodd dyn bechu.'

''Rydw i'n i gweld hi'r un fath efo'r capel,' ebe Gruff, na fedrai byth adael llonydd i'r capel am hir, 'yn erbyn ffyliaid yr ydan ni'n ymladd ac nid yn erbyn y Diafol, a 'does gan ddylni ddim arfau.'

'Mi eill wneud llawer o ddrwg,' meddwn i.

''Rydan ni wedi gadael y capel am fis,' meddai Wil, 'a mae rhywun yn edrach ymlaen at fis Awst bob blwyddyn i weld fydd yna rywbeth gwell yn y cyfansoddiadau yma; mae cyfansoddiadau'r Steddfod yn rhan o wyliau haf erbyn hyn, a beth wyt ti'n gael ond siom bob tro. A'r peth sy'n ofnadwy ydy' fod rhyw fodlonrwydd blonegog dros yr holl beth. 'Does neb yn dweud i farn yn onest, petai'r beirniaid yna'n onest, mi fasan yn dweud nad ydy'r holl bethau ddim gwerth y fatsen fasa'n i llosgi nhw.'

'Ella nad ydyn nhw ddim yn dallt i gwaith,' meddai Huw, 'ella bod y pethau gollodd yn well.'

'Na,' meddai Wil, gan ysgwyd ei ben fel ci yn dyfod allan o afon, ''rydan ni wedi mynd yn genedl hawdd yn plesio, yn ddiog ac yn ddi-weld.'

'Wel,' meddai Huw, ''does gan bobol heddiw ddim amser, yn i amser sbâr mae pawb yn sgwennu.'

'Amser, amser, ŵyr athrylith ddim beth ydy amser, mi fynn dwll i fynd trwyddo fo. Wyt ti'n cofio Eseia a'r llais a ddywedodd, "Gwaedda." 'Does yna neb yn cael i gynhyrfu i weiddi heddiw. 'Rydan ni wedi mynd yn bobol rhy oer i weiddi, rhy heddychlon i frwydro yn erbyn dim. 'Does neb yn gwneud hanes heddiw ond y gwyddonwyr. Llenorion fyddai'n gwneud hanes ers talwm. Mi wnaeth Williams Pantycelyn hanes.'

'A phregethwyr,' meddai Gruff. Dyma fi'n dechrau

curo fy nwylo.

''Rydach chi'n dweud y gwir Wil, pan fyddwn ni'n canu emynau Williams yn y capel, a'n hanner ni ddim yn i dallt nhw, mi fydda i'n meddwl fod yn gwilydd fod pobol mor fychan uwchben pethau mor fawr ac yn teimlo dim.'

'Mae rhai yn teimlo, mae'n amlwg,' meddai Wil wrthyf fi.

Symudwyd y bwrdd te ac eisteddasom o gwmpas yr aelwyd.

'Wel,' meddai Wil gan danio ei getyn, 'os nad ydy mis Awst yn dŵad ag athrylith Eisteddfod mae o'n dŵad â ni at yn gilydd i roi'r byd yn ei le, peth na chawn ni mono fo ond ym mis Awst, 'rydan ni'n rhy brysur yn cicio tîn caseg farw.'

'Ydan,' meddai Huw, 'mae cimint o fai arnom ni ag ar y llenorion. 'Does gynnon ninnau ddim byd i ddweud 'chwaith.'

'Dim amser,' meddai Jac yn bryfoclyd.

'Ia, a dim cynulleidfa,' meddai Wil, 'mae'r meddwl dynol yn dirywio, a faint gwell wyt ti o weiddi bod y byd yn mynd i uffern wrth bobol sy'n cael i bwyd yn nramâu'r teledu. 'Waeth iti weiddi "carreg a thwll" ddim. Fedri di ddim dychryn neb heddiw.'

'Na fedri,' meddai Huw, 'mi'r ydan ni yn y capel yn gwybod mwy am yn cynulleidfa, yn rhwbio mwy ynddyn' nhw mewn cyfarfodydd wythnosol, a mi'r wyt ti'n tagu wrth dreio dweud rhywbeth o'r pulpud a chofio am y pethau maen' nhw'n i wneud.'

'Mi allan' nhwtha ddweud yr un peth amdanon' ninnau,' meddai Gruff, 'mae'n siŵr fod digon o feirniadu arnon ni.'

'Mae gynnon ni fantais arnoch chi yn hynna o beth.' meddai Jac, 'mae ffurf yn gwasanaeth ni yn difodi'r pethau yna; 'rydan ni'n anghofio wrth addoli; mantais ydy peidio â rhoi gormod o sylw i'r bregeth a mantais ydy peidio â chael gormod o gyfarfodydd ganol yr wythnos.'

'Mae hynna'n wir,' meddai Huw, 'ond mae o'n beth trist i'w gydnabod ar ôl yr holl bregethu mawr fu yng nghapeli Cymru.'

'O, mae'r un difaterwch yn yr Eglwys,' meddai Jac, 'a chan nad ydan ni ddim yn cyfri'n aelodau yr un fath â chi, 'dydan ni ddim yn rhoi cimint o sylw i nifer yn cynulleidfaoedd. Mae arna'i ofn mai'r "ychydig weddill" ydy hi efo ninnau.'

'Mi welis i beth digri' iawn y tu allan i gapel Saesneg y dydd o'r blaen,' meddai Wil, 'eu bod yn cael rhyw wasanaeth o'r enw "Farm Yard Praise." '

'Mi fasa "Triawd y buarth" yn eitem dda mewn peth felly,' meddwn i.

Rhoes hyn gyfle inni chwerthin a bod yn llai difrifol.

'Na, 'dydan ni ddim wedi mynd llawn cyn waethed â hynna,' meddai Huw, a rhyw befr yn ei lygad. 'A rŵan mae gwaith y gaea o'n blaenau ni, allan bob nos a thrwy'r dydd. a pharatoi pregeth ar frys nos Sadwrn. A mi'r ydan ni'n mwynhau beirniadu'n heglwysi yn y fan'ma y p'nawn yma, yna'n mynd atyn' nhw fel tae dim wedi digwydd.'

'Hollol naturiol,' meddai Wil. 'Mi ddarllenais i rywbeth ddwedodd nofelydd o Babydd, mai braint nofelydd yw cael bod yn annheyrngar i'r gymdeithas y

mae o'n perthyn iddi — y Pabyddion yn i achos o — a
bod yn rhaid iddo fo gael sgwennu o safbwynt y drwg
yn ogystal â'r da.'

'Ond 'dydan ni ddim yn nofelwyr,' torrodd Gruff ar ei
draws.

'Ella. Ond mi'r ydan ni'n trin pobol yr un fath â
nofelwyr. a 'fedrwn ni ddim peidio â *gweld* bod yna
ddrwg a da yn yr eglwysi.'

'Nid dyna'r pwynt. Gweld safbwynt y drwg mae
nofelwyr. ac nid lladd arno fo yr un fath â ni. Maen' nhw
yn rhoi'r un chwarae teg i'r ddau,' meddai Jac.

'Prun bynnag,' meddai Wil wedi ei lorio, 'yr ydan ni'n
wrthryfelwyr yr un fath â nofelwyr, a mi'r ydan ni'n
gwrthryfela yn erbyn y capel am yn bod ni yn i nabod o.
Wyddon ni ddim am y Pabyddion na'r Eglwys, wedyn
sut y medrwn ni i beirniadu nhw? Mi fedar Jac ddweud
yr un peth.'

'Medra'. Y peth calla fyddai i ni fynd i wledydd
gwyryf dros y môr i genhadu.'

'O naci,' protestiais i, ''does arna'i ddim eisio gadael
Cymru.'

Edrychais allan a gweld y ffenestr yn dechrau glasu
yn y tywyllwch. Aethom allan.

'Dyma ni,' meddwn i, 'wedi bod yn berwi yn y tŷ, a
hwn y tu allan inni.'

Yr oeddem yn rhy bell i glywed llepian y môr, dim
ond gweld ei grychni llwyd yn symud. Neidiai'r
goleuadau bychain i'r golwg fesul un ac un a'm hatgoffa
am oleuadau dechrau'r gaeaf ar y stryd yn y dref. Draw
yn y pellter safai'r mynyddoedd yn llwytddu urddasol.

'Mae hwn efo ni o hyd,' meddai Jac, gan rychwantu'r

gofod â'i fraich.

'Ydy *hyd yn hyn*,' oddi wrth Wil, 'mi'r ydach chi'n lwcus fod y bwthyn yma gynnoch chi.'

'Hen dŷ modryb i Bet, mi ddaru i adael o inni yn i hwyllys.'

'Mae o'n werth y byd,' meddwn i, 'er y basa'n dda gen i gael i werthu fo y pryd hynny. Mi fedrwn redeg o'ma am ddiwrnod i weld yn teuluoedd, a nhwtha ddŵad yma. Fedrwch chi ddim byw am fis Awst cyfa' efo'ch teulu.'

Daeth Geraint a Gwilym yn ôl, a rhedais i'r tŷ i wneud bwyd iddynt, y lleill yn dal i edrych o hyd ar yr olygfa ac i loetran. Daethant i'r tŷ yn araf fel pobl yn dyfod i dŷ ar ddiwrnod cynhebrwng.

'Rhaid inni ei throi hi,' meddai Jac yn ddigalon, 'mae pob dim da yn dŵad i ben yn rhy fuan. 'Rydw i'n teimlo fel petawn i wedi bod yn lladd ar fy nheulu drwy'r prynhawn.'

'Peth reit iach,' meddai Huw, 'mi gawn wared ohono fo allan o'n cyfansoddiad yr un fath â rhegi a phlorod. Mi deimlwn yn well wedi mynd adre.'

Rhoes Geraint record chwim ar y gramoffon, ac wrth weld pawb a'i ben yn ei blu dyma rywbeth sydyn yn gafael ynof ac yn gwneud imi symud y cadeiriau i'r naill ochr.

'Rŵan, dowch.'

Dyma fi'n gafael yn Wil, y nesaf ataf, ac yn dechrau dawnsio; aeth y chwiw dros bawb, a Gwilym a Geraint yn y gynffon, yr unig rai a fedrai ddawnsio. Yr oedd traed mawr Wil yn fy maglu bob munud, ond chwyrliem amgylch ogylch, amgylch ogylch fel pethau gwallgof, a minnau'n gorffwys fy mhen ar fynwes Wil — ni chyrhaeddwn ddim pellach na hynny — a mwynhau'r profiad. Rhyfedd mor hawdd yw caru dyn arall yn ein dychymyg. Stopiwyd yn stond ar ddiwedd y record, pawb yn chwythu, heb neb yn dweud dim, fel pe buasai arnom gywilydd o'n gwallgofrwydd munud awr.

Aeth ein ffrindiau ymaith; ni ddywedwyd fawr ddim; Wil yn stwffio ei ben allan o'r car.

'Diolch yn fawr — tan yr ha' nesa.'

Aeth sŵn y car yn llai ac yn llai wrth iddo fynd i lawr yr allt. Diflannodd yn gyfan gwbl, daeth tawelwch dros y gegin, lle, bum munud yn ôl yr oedd sŵn afreolus. Eisteddasom wrth y tân heb ddim i'w ddweud am dipyn.

'Eitha ffordd o ganu'n iach.' meddai Gruff.

'Canu'n iach oedd o,' meddwn i dan edrych i'r tân yn synfyfyriol, 'biti na fasen' ni'n byw fel yna o hyd.'

''Dwn i ddim, prinder peth sy'n gwneud inni'i fwynhau o. Mi fasa'n bris go fawr i dalu am gyfeillgarwch petai Wil yn taranu yn dy dŷ di bob nos.'

Ond yr oeddwn i wedi fy nghynhyrfu i feddwl, daliwn ymlaen i siarad yn fy mhen y pethau y gallaswn fod wedi eu dweud. Daeth un peth imi — yr oeddwn am fynd ymlaen efo drama fechan a ddechreuaswn er mwyn ei hactio efo'r bobl ifainc y gaeaf nesaf.

*   *   *   *

Y diwrnod olaf aethom allan yn y car am dro drwy'r wlad a mynd â basged efo ni i hel mwyar duon. Yr oedd dail y coed wedi colli eu gwyrddlesni ifanc a heb ddechrau melynu, y caeau yn las ac yn felyn bob yn ail, y tai ffermydd a'r bythynnod yn dlws iawn yn eu llochesi coed. Ond yr oedd ugain mlynedd wedi gwneud gwahaniaeth mawr ynof. Fel gyda phobl, meddwl am eu tu mewn yr oeddwn i. Sut bobl oedd yn byw ynddynt? Fel ym mhobman reit siŵr. Yr oedd digon o greulondeb ar fuarthau ffermydd, gwyddwn hynny. Deuai Gel, ci'r ffarm, i'n tŷ ni i gael bwyd bob dydd. Dyna, yn fy meddwl i, a wnâi i gŵn ladd defaid, — am na chaent ddigon o fwyd. Ehedai fy meddwl i bob gwlad a meddwl am yr holl greulondeb at blant ac anifeiliaid. Os oedd pobl wareiddiedig yn medru bod yn frwnt, beth am y lleill? Ond efallai eu bod hwy'n ffeindiach. Dywedais hyn wrth Gruff, a'r unig ateb a gefais oedd, 'Fedri di ddim cario beichiau'r byd ar dy gefn.' Yn y caeau wrth hel y mwyar duon deuai aroglau fy ieuenctid i'm ffroenau — y mintys, a'r llaid wedi imi roi fy nhroed yn y dŵr. Heno, mi fyddwn yn gweld yn fy nghwsg, y clystyrau ar y coed a gwastadedd dugoch y fasged.

Aethom i'r fynwent a darllen y cerrig beddi, rhai wedi marw'n ifanc; rhai wedi marw'n hen. Ceisiwn ddyfalu beth oedd eu salwch; beth fu eu bywydau; a gawsant eu gadael gan eu cariadon; a ddaeth trychinebau i'w rhan? Rhoesom y fasged i lawr yn ddistaw wrth borth yr eglwys a mynd i mewn yn ddistawach. Ni byddwn byth yn cerdded yn ddistaw i'n capel ni pan fyddai'n wag. Yr oedd popeth yma fel pe bai'n gofyn am dawelwch; yr oedd aroglau henaint dros bob dim a'r ffenestri lliw yn pylu'r adeilad. Darllen y meini coffa ar y muriau; rhai o'r rhai hyn wedi marw mewn rhyfeloedd dros y môr; llawer ohonynt wedi cael anrhydeddau gan frenhinoedd daear. Digon posibl iddynt gael cymaint o brofedigaethau â'u cymrodyr tlotach yn y fynwent. Yr oeddwn yn sicr o un peth, nad oedd ganddynt broblemau fel ni; credent bob dim yn syml, deuent i'r fan yma i addoli: aent adref i fwyta heb feddwl mwy am eu credo. Cerddasom dros gerrig beddi ar y llawr a cheisio pontio'r amser hir y buont yn gorwedd dan y cerrig; y digwyddiadau mewn hanes na wyddent hwy ddim amdanynt. Cofio am y geiriau o Lyfr Job: 'Ei feibion a ddaw i anrhydedd, ac nis gwybydd efe.' Ni chawsant wybod y pethau drwg ychwaith. Yr oeddynt yn llwch ac yn esgyrn erbyn hyn, a'r atgyfodiad yn hir iawn yn dyfod.

A dyma'r mwgwd yn dyfod dros fy llygaid eto a'r düwch i'm calon.

Pan oedd Gruff yn edrych ar yr allor euthum i sêt a phenlinio ar stôl a rhoi fy mhen i lawr. Ni allwn weddïo am i'r düwch fynd, dim ond ocheneidio am ei fod yno; ac eto, yr oedd dymuniad beth bynnag yn yr ochenaid. Teimlwn yn well wedi codi. Pan godais fy mhen yr oedd Gruff yn penlinio wrth fy ochr. Aethom allan heb ddweud dim. Ni wyddem feddyliau ein gilydd.

Yr oedd pob dim wedi ei gadw yn y bwthyn, y grât mawr yn hollol wag a'r goleuni yn dyfod i lawr drwy'r corn. Y tegell yn ddistaw a'r cloc yn mynd. Yr oedd llyfr ar y bwrdd — cyfansoddiadau'r Eisteddfod — copi Wil a adawsai ar ôl y prynhawn   rhyfedd hwnnw. Edrychai'n beth trist, ei gynnwys wedi ei bannu'n fwydion gan feirniadaeth greulon. Daeth rhyw hiraeth pleserus i mi, rhoddais y llyfr yn fy mag er mwyn ei anfon iddo. Yr oedd popeth yn barod a Gruff a'r hogiau yn disgwyl yn y car tu allan. Yn sydyn gwelais fwclen werdd ddisglair yn y ffender a blew yn symud. Yr oeddwn wedi anghofio am y gath. Bu'n rhaid imi godi'r ffender i'w chael allan — nid oedd arni hithau eisiau mynd adref.

*   *   *   *

Disgwyliwn weld yr un olygfa wedi dychwelyd, y tŷ yn dal i gysgu dan ei gynfasau llwch, ond erbyn imi gyrraedd yr oedd Melinda yno, wedi tynnu'r cynfasau, wedi cynnau'r stof ac wedi hwylio te. Yr oedd y gegin yn lanach nag y disgwyliwn ei gweld, y bwrdd yn llawn — Mrs Bryn wedi anfon cacennau inni. Wrth i Melinda dywallt y te teimlwn fod arnaf eisiau yfed diogi hefyd. Yr oedd yn braf bod yn ôl. Wedi cael cefn Gruff a aethai i'r gell i ddarllen ei lythyrau, meddai Melinda:

'Beth sy'n bod Bet? Wyt ti'n sâl?'

'Na, mi'r ydw i'n iawn.'

'Gest ti orffwys?'

'Gormod o lawer, 'rydw i'n llawn afiaith at waith y gaea'.'

'Mi fasa'n well iti ddŵad i Baris efo mi. Mi wnâi tipyn o ddillad newydd godi dy galon di. 'Rwyt ti'n edrach fel shipan, 'does dim rhaid iti fod fel ffydleman hyd yn oed os wyt ti'n wraig i weinidog.'

''Dydw i ddim yn flêr. 'Rydw i'n treio bod yn dwt.'

'Mae'n ddrwg gen i, na 'dwyt ti ddim yn flêr, ond wyddost ti, mae twtrwydd byw ar i orau i gael y ddeupen llinyn ynghyd yn waeth bron na blerwch y bobol fawr.

40

Ond mi ddyliet gael gwyliau mewn lle hollol annhebyg i hwn, rhywle heb ddim un capel ynddo fo i wneud iti feddwl am dy gartre. Mi ddyliet gael gweld pobol yn pechu.'

''Rydw i'n gweld digon o hynny yma.'

'Ddim yn i holl ysblander.'

''Dydy pechod ddim yn grand.'

Edrychais yn wirion arni. Ni fedrwn ddweud wrthi am y pyliau digalon a gawswn nac ychwaith am y goleuni cannwyll a ddaeth i'm calon ar ôl penderfynu gorffen fy nrama i blant.

3

Eisteddwn wrth y bwrdd yn y gegin, aroglau coffi a chig moch yn hongian yn yr awyr, y papur newydd o'm blaen wedi ei sgeintio drosodd â phupur du canlyniadau'r arholiad: cannoedd ar gannoedd o blant Cymru wedi mynd trwy'r peiriant golchi a dyfod allan yn ddillad hir, canolig a byr. Yr oedd llawenydd a siom fel clytiau o haul a chymylau dros bennau rhieni Cymru y diwrnod hwnnw, y flwyddyn wedyn y byddai fy mhryder i. Neidiodd Nel, y gath, ar y bwrdd a chanu'r grwndi, yr haul yn taro arnom ein dwy drwy'r ffenestr a'r goeden yng ngardd y drws nesaf yn ei symud oddi arni hi arnaf fi. Byddai'n rhaid imi fynd i'r dref i siopa toc, edrych ar ffenestri glas tywyll o ddillad ysgol anniddorol, gwrando ar ddarnau o sgyrsiau mwy anniddorol. 'Yn tydy Hon-a-Hon wedi gwneud yn dda yn ei "G.C.E."? 'Biti dros Hwn-a-Hwn, 'roedd o'n siŵr y basa fo'n pasio 'leni.' 'Tydy fy merch i ddim am fynd i'r ysgol eto, mi fedrwn ni fforddio i chadw hi gartra.' 'Na, 'dydan ni ddim am gael holides 'leni — rhy ddrud. 'Rydan ni am fynd am ddiwrnod i lan y môr.' 'Gawsoch chi amser braf?' 'Mi ddaw yn aea' ar slap. Gobeithio y cawn ni dywydd gwell, mi fyrheith y gaea' inni.' Digon i wneud i rywun ffoi yn ei ôl.

Yr oedd fy nrama yn cau am fy meddwl ac yn dal pethau annymunol allan, gymaint felly nes bod fy mrest yn crynu a'm hanadl yn crynhoi yn fy ngwddf, a minnau'n gorfod rhedeg i'r gegin bach i wneud unrhyw beth er symud a mynegi fy eiddgarwch. Teimlwn y pwysau'n codi o'm mynwes yn araf fel pendil cloc yn codi wrth ei ddirwyn. Nid oeddwn am sgrifennu drama Nadolig am y geni. Ni chymerai'r plant hynaf ddiddordeb mewn peth felly, byddai'n rhy blentynnaidd ganddynt. Eithr yr oeddwn am fynnu gwneud iddynt edrych ar dlodi am ychydig beth bynnag a chyfaddawdu wedyn. Neidiai'r peth yn fy meddwl — teulu tlawd wedi aberthu i gael gwledd anghyffredin ar y Nadolig, rhywun yn torri i'r tŷ a lladrata'r cwbl deirnos cyn yr ŵyl, a gweddill y ddrama i ddal y lladron. Heblaw cadw'r gynulleidfa ar binnau fe roddai iddynt ryw syniad am gyfiawnder. Yswn am gael dweud wrth Gruff amdani, tipyn o lwci bag iddo. Dechreuais feddwl am Melinda; y hi oedd yn gyfrifol fy mod yn cael diogi yn y bore ar ôl dychwelyd oddi ar wyliau. Tybiai pawb ei bod yn braf arni, pawb ond y fi, am fod ganddi ddigon o arian. Buasai farw ei gŵr yn sydyn ym mlwyddyn gyntaf eu priodas, gan ei gadael yn gefnog ac yn dorcalonnus; ni fedrodd byth fod yn llonydd; yr oedd yn rhaid iddi fod ar gerdded o hyd. Piciai i'r Cyfandir fel y piciwn i i'r dre. Ni châi neb wybod llawer o'i meddyliau.

Daeth i mewn wrth imi feddwl amdani, fel pictiwr o'r hydref wedi dyfod cyn ei bryd — gwisgai sgert a siwmper o winau golau a weddai i'w gwallt cringoch.

'Dyna chdi'n gwneud peth call iawn, cymryd seibiant ar ôl brecwast.'

'Nid yn hollol.'

'Mi'r wyt ti'n edrach yn well y bora yma. Mae arna i eisio ymddiheuro iti am beth ddwedais i b'nawn ddoe.'

'Am be?'

'Am sôn dy fod ti ddim yn gwisgo'n iawn.'

'Ymannodd hynny ddim arna'i. Mi wyddost cyn lleied fydda' i'n feddwl am ddillad cyn belled ag y bydda' i'n dwt.'

'Mi ddylet feddwl mwy. Mae dillad yn codi 'nghalon i fwy na dim.'

'Mi fedri di i gwisgo nhw.'

'Mi fedret titha petasat ti'n treio.'

''Does gan wraig gweinidog ddim amser i ymbincio.'

'Mi'r wyt ti'n rhy gaeth i dy ddyletswyddau.'

''Tasat ti'n dweud hynny am Gruff mi fasa'n wir.'

Y munud hwnnw yr oedd ei phresenoldeb fel rhan o'r haul a ddeuai trwy'r ffenestr a rhoes hyder imi sôn am fy nrama. Daeth gwên gynnes dros ei hwyneb o'i llygaid i'w dannedd.

'Peth da iawn. Ond mi wneith fwy o les i ti nag i'r plant yma a'r bobol ifanc. Mae'r rheiny'n anobeithiol: fedri di byth godi tŷ heb sylfaen, a fedri di byth wneud dim efo pheiriant sy'n dinistrio. Fydd arnat ti ddim blys mynd yn ôl i'r ysgol?'

'Na fydd, yr un fath fasa hi yn fanno hefyd.'

'Ond mi gaet arian am dreio gwneud lles yn fanno. Sbïa peth mor braf fasa cael ceiniog yn ecstra.'

'Fedra i ddim gwneud dau waith.'

Aeth yn ei hôl i'w thŷ yn frysiog fel y daethai ac aeth peth o'r haul allan efo hi.

Yr oeddwn braidd yn siomedig yn ei hymateb; meddyliais y buasai hi'n frwdfrydig, ac eto gwyddwn nad oedd ganddi hi flas at symud dim yn ei flaen. Yr oedd y byd wedi sefyll iddi hi; amheuwn a gâi hi bleser yn yr olion hanes a welai hi hyd y Cyfandir. Meddwl y byddwn i na châi ac mai symud dros hanes y byddai heb ddiddordeb yn ei orffennol, dim ond er mwyn cael peidio ag aros efo'i hanes ei hun. Ac eto, nid oedd hi y bore hwn wedi culhau ei llygaid fel y gwnâi pan anghytunai. 'Mi wneith les iti.' Yr oedd yn deall fy nhu mewn. Yn y bôn a oeddwn i'n malio am y bobl ifanc ynteu amdanaf fy hun?

Yn y gell y noson honno teimlwn fel petai gennyf ben-dduyn ar fy wyneb a'r boen yn lleddfu am ei fod ar fin torri. Dechreuais sôn am fy nrama wrth Gruff ac yntau'n smocio ac yn syllu i'r grât. Felly y byddai Gruff, o hir wrando ar bobl yn dweud eu cwynion mae'n debyg, yn gwrando yn ddifynegiant a gadael i'r siaradwr fynd yn ei flaen. Yr oeddwn mor eiddgar fel y teimlwn fod y ddrama yn ei chyfansoddi ei hun wrth imi fynd ymlaen, ond yn sydyn sylweddolais nad oedd Gruff yn gwrando a'i fod yn crychu ei dalcen.

'Be sy Gruff? Wyt ti ddim yn falch?'

'Y-y-ydw wrth gwrs, ond . . .'

'Ond beth?'

'Mae arna'i ofn na fydd yna ddim stafell wag iti ymarfer. Mae rhywbeth yn yr Ysgoldy bob nos a 'does yna ddim ond y gegin. Wedyn mae Cymdeithas y Gwragedd yn mynd i gael rhyw ffair cyn y Nadolig i brynu rhyw stôf newydd i'r gegin, a mi fydd arnyn' nhw eisio'r gegin i dorri allan ac i baratoi.'

' Ond yn y dydd y maen' nhw'n cyfarfod.'

'Maen' nhw wedi newid i'r nos. Wyddet ti ddim?'

'Na wyddwn. 'Doeddwn i ddim yn y cwarfod dwaetha.'

Yr oedd fy nhu mewn fel rhew ac eto ar ffrwydro o atgasedd at Gruff am fod mor oer ac at y gwragedd am eu dandinedd. Ni fedrwn siarad a dechreuais feichio crïo.

'Y nefoedd fawr! Beth ydw i wedi'i wneud?'

'Waeth imi heb, fedri di byth ddallt. O-O-O, 'rydw i wedi cael rhyw sbonc newydd at fyw wrth feddwl am wneud y ddrama bach yma, a dyma chditha'n taflu dŵr oer am ben y syniad.'

'Na wnes i, 'does gen i ddim help fod y merched yna am fynnu cael y stafell yna yn y nos.'

Stopiais grïo'n stond.

'Yli Gruff, ydy dy ddychymyg di mor fychan fel na fedri di ddim gweld nad ydy o ddam o'r ods pa un ai mewn festri ai ar y lôn y gwnawn ni rihyrsio, ac mai'r peth oedd eisio i ti i wneud oedd dangos mymryn o falchder fod y syniad wedi dŵad i mi. Oes arnat ti fwy o ofn digio'r merched yna na digio dy wraig?'

'Mae'n ddrwg ofnadwy gen i Bet, wnes i ddim meddwl am y peth fel yna o gwbl, mi redodd fy meddwl i ymlaen at yr anhawster cyn imi sylweddoli beth oedd dy syniad ti.'

Ar hynny clywn Geraint yn mynd ar hyd y lobi i agor drws y ffrynt, a chyn imi gael golchi fy llygaid yr oedd Mr a Mrs Bryn yn y gell. Yr oedd yn rhaid imi gael dweud — annoeth neu beidio. Yr oedd llygad Mrs Bryn yn pefrio a rhadlonrwydd ei gŵr yn wrthgyferbyniad damniol i wyneb Gruff.

'Dyna syniad ardderchog, rhywbeth i'r bobol ifanc yma i wneud yn lle bod a'u pennau yn y gwynt, a mi allwn godi arian at blant newynog y byd.'

Ni feddyliaswn i am hynny. Yr oedd y gwahaniaeth

rhwng eu brwdfrydedd hwy ac agwedd oer Gruff ychydig funudau ynghynt yn gwneud imi dosturio wrth Gruff. Amlwg ei fod yntau'n teimlo'r gwahaniaeth ac yr oedd golwg ddiddim iawn arno. Rhag iddo fo ddweud dim a wnâi bethau'n waeth, meddwn i.

'Ond mae Gruff yn dweud y bydd anhawster imi gael lle i rihyrsio, fod y merched yn mynd i gael rhyw ffair at y Nadolig i gael grât newydd i'r gegin.'

'Gadewch iddyn' nhw ffeindio lle, nid y chi sydd i fod i symud. 'Dwn i ddim beth ydy rhyw ffwlbri fel hyn sy gan y merched yma. Mae grât y gegin yn ddi-fai. Biti garw iddyn' nhw gael pleidlais mwyafrif y swyddogion i fynd ymlaen efo'r peth.'

'Mi wn i beth sydd arnyn' nhw'n iawn,' meddai ei wraig, 'mae arnyn' nhw eisio cael rhywbeth na fedran nhw mo'i gael i'w cartrefi; mae arnyn' nhw eisio gwneud tŷ o'r capel. Y peth nesa welwn ni fydd peiriant golchi yn y sêt fawr.'

Medrodd pawb chwerthin ag eithrio Gruff.

''Dwn i ddim,' meddai o, 'mae'n anodd iawn cadw'r ddesgil yn wastad rhwng pobol; mi fydda'i bron â rhoi'r gorau iddi weithiau. Mae'n capeli ni'n rhy ddemocrataidd.'

'Dydan ni 'rioed wedi treio byw fel Cristionogion,' meddwn i, 'aelodau o glwb ydan' ni a mae'r peth wedi mynd yn gonsarn ariannol.'

'Mae arna'i ofn na fedrwn ni mo'i newid o,' meddai Mr Bryn, 'rhaid cael arian i gario'r achos yn i flaen.'

'Ond nid i gael grât,' meddai Mrs Bryn, 'mi'r ydw i'n credu mai'r peth gorau fyddai gwerthu'r capel a mynd i addoli i ryw gwt, er mwyn inni gael gweld pwy sydd o ddifri.'

'Mi fasa ar y merched eisio grât yn fanno wedyn,' meddai ei gŵr.

'Fasa'r un ohonyn' nhw'n dŵad yno,' meddwn i.

Edrychai Gruff ar y seilin a'r pryfed.

'Tych,' meddai, 'mae ceisio dal eglwys wrth i gilydd yn gwneud i mi anghofio teimladau'r rhai sydd wrth fy ymyl i. 'Rydw i wedi brifo Bet yn ofnadwy heno, a hithau'n treio fy helpu fi.'

Wrthyf fy hun dywedwn nad treio ei helpu o yr oeddwn, ond dyna'r peth mwyaf dynol a ddywedodd Gruff y noson honno, ac anghofiais ei oerni cyntaf.

Yr oedd ffresni'r Sul cyntaf ar ôl y gwyliau yn y capel drannoeth. Y capel yn lân, lliw haul ar lawer wyneb, bywiogrwydd yn y canu (gormod gennyf fi). Disgwyliem bethau newydd o hetiau'r merched hyd i wasanaethau newydd y gaeaf. Ail-afael mewn pethau o'r newydd, yr un peth ag mewn ysgol ar y dydd cyntaf o'r tymor. 'Sut ydach chi? Sut ydach chi?' rhwng pawb a'i gilydd ar ôl pregeth y bore. Ond nid oedd dim byd newydd ym mhregeth Gruff na'r bore na'r nos. Yn y nos rhoed y goleuadau ymlaen ar ganol y gwasanaeth a gwneud i mi deimlo'r gaeaf yn dyfod a hefyd i mi feddwl am y diwrnod hwnnw yn y bwthyn efo ffrindiau Gruff, yn sefyll y tu allan a gweld y goleuadau yn neidio i'w lle o un i un. Am funud bûm yn dawnsio wedyn a'm pen ar fynwes Wil, a daeth gwên i'm gwefusau. Gwelwn hwynt i gyd yn pregethu heno yn eu gwahanol eglwysi, heb gofio am y beirniadu ar eu cynulleidfaoedd y diwrnod hwnnw. Pregethai Gruff ar y goleuni a ddaeth i'r byd a charu o ddynion y tywyllwch yn fwy na'r goleuni. Ond efo Gruff ni fedrech byth ddweud pwy oedd y dynion a garai'r tywyllwch; y bobl tu allan yn ôl barn y gynulleidfa reit siŵr, nid hwy. Mor dda fuasai iddo ddweud bod y rhan fwyaf ohonom ninnau a wrandawai arno yn y tywyllwch, ac mewn mwy o dywyllwch na phobl y byd am ein bod ni'n gwrando bob Sul. Gresyn na fedrai ef fod yn eithafol fel Wil. Ni wrandawn ar bob gair, gwibiai fy meddwl i bobman. Mor wir oedd storïau'r *Goeden Eirin*!

Yn y cymun y medrais i sefydlu fy meddwl, er imi fy nghael fy hun unwaith yn cael rhywbeth newydd i'w ddweud yn fy nrama. Hyd yn oed yno. Yno'n unig y teimlwn i fy mod yn medru addoli a bod y dyheadau a'r addoli yn mynd ar hyd un wifren gywir o deimlo'r dioddef. Gallwn weddïo'n syml gyda Siôn Cent, 'A maddau bechod meddwl.' Yno hefyd y medrwn anghofio'r pethau a'r bobl oedd o'm cwmpas, yno yn unig y teimlwn nad oedd Gruff yn perthyn imi, ei fod ar wahân, yn ddyn dieithr yn gweinyddu'r cymun, yn offeiriad ac nid yn ŵr. Wedi mynd adref cloais ddrws y gell, a chawsom fel arfer, ar noson y cymun, swper plaen iawn.

4

Symud fy niddordeb i a wnaeth ysgrifennu'r ddrama fer ac nid symud fy amheuon i. Deuai'r rheiny yn ôl bob tro y byddai wedi mynd yn big arnaf am ddim i'w ddweud yn y ddrama. Nid oedd y broblem o gael lle i rihyrsio ar gyfyl fy meddwl ar y pryd ychwaith. Bob tro y deuai syniad newydd imi rhedwn i'w daro ar lawr ac yr oedd y rhedeg ei hun yn rhan o'r creu. Teimlwn mai rhywbeth fel hyn a feddyliai Goronwy Owen wrth ddweud, 'Clywaf arial i'm calon.' Rhyw dynnu tuag i fyny oedd o; help i edrych ymlaen at drannoeth yn lle bod diwrnod yn darfod wrth gau'r llygad fel y buasai i mi ers wythnosau.

Wrth anfon y cyfansoddiadau yn ôl i Wil mentrais ddweud wrtho fy mod wrthi'n ysgrifennu drama. Medrwn edrych ymlaen at drannoeth wrth ddisgwyl am ei ateb. Gan ei fod yn un mor flêr yr oedd yn syndod i mi gael llythyr ar y troad.

'. . . . Mae'n dda iawn gennyf eich bod yn sgrifennu drama er mai ar gyfer diddori eich capel y mae hi ac er mwyn rhoi rhyw waith i'r bobl ieuainc. Ar ôl hyn peidiwch â meddwl am unrhyw amcan pellach na rhoi pleser i chwi eich hun trwy roi eich profiad eich hun. Nid oes raid i chwi roi hanes eich bywyd, mi ellwch ddychmygu eich sefyllfaoedd a'ch pobl, ond mi ellwch roi'r hyn yr ydych chwi'n ei feddwl am fywyd tu mewn i'r hyn y byddwch yn ei ysgrifennu. Yr wyf fi'n ei gweld yn mynd yn fwy ac yn fwy anodd mwynhau bywyd heddiw; am wn i mai sgwrs fel yr un a gawsom yn eich bwthyn chwi y diwrnod hwnnw yw'r unig fwynhad a gawn bellach. Ar yr wyneb yr oedd y sgwrs honno yn beth digri iawn, ond yn y bôn yr oedd hi'n sobr o ddigalon. Pobl wedi ein siomi yn y gwaith yr aethom allan i'w gyflawni oeddem i gyd, ond o drugaredd, nid ydym wedi anobeithio. neu ni buasem yn dychwelyd at ein gwaith. Neu a ydym wedi dychwelyd am mai hynyna sydd leiaf o drafferth? Mae Cristionogion mor fydol â'r byd heddiw, ac mae eisiau ffydd fawr i ddal ymlaen. Ond dyma fi'n pregethu. Eisiau dweud oedd arnaf wrthych am sgrifennu am fywyd fel yr ydych chwi yn i weld o ac nid i geisio diddori neb. Efallai y cewch chwi bob! i wrando arnoch rywdro ac efallai y cawn ninnau. Ond petawn i'n sgrifennu, ni chawn neb i gyhoeddi fy ngwaith — byddai'n rhy enllibus. . . '

Teflais y llythyr i Gruff, 'Mae yna lot ym mhen Wil' oedd ei sylw ef. 'Mae mwy yn i galon 'meddwn i wrthyf fy hun.

Yr oeddwn wedi dewis y rhai a dybiwn i a wnâi orau yn y ddrama, rhai a'u Cymraeg yn ddigon drwg. Gadewais Geraint allan rhag tarfu neb. Noson gyntaf y rihyrsal yr oedd Cymdeithas y Merched wedi dewis noson arall i gyfarfod, felly ni ddeuai anhawster o'r fan honno. Yr oedd Gruff i ffwrdd mewn pwyllgor ac wedi addo taro i mewn yn ddiweddarach, a Geraint wedi mynd i'r llyfrgell. Nid oedd llawer o asbri ynof, mynd o ran dyletswydd yr oeddwn ond bod hon yn ddyletswydd brafiach nag ambell un.

Pan ddyneswn at y festri clywn sŵn fel sŵn ffair;

erbyn mynd i mewn yr oedd llond y lle o lafnau a llafnesi yn dawnsio, yn rhedeg ar ôl ei gilydd, yn gweiddi ac yn lluchio pethau o gwmpas, a llyfrau emynau yn mynd fel brain drwy'r awyr. Yr oedd yno lawer o blant ein capel ni, rhai o gapeli eraill a'r hogiau Nedw a welwn hyd y stryd bob nos wrth fynd a dŵad i'r capel. Y peth cyntaf a ddaeth i'm meddwl oedd y deuai Gruff i helynt gyda'r blaenoriaid er nad oedd ef i fod yno y noson honno. Fe sylweddolodd rhai ohonynt fy mod i yno ac fe ruthrodd pawb trwy'r drws a thrwy'r lobi; a choesau meinion yr hogiau Nedw yn gwau trwy'i gilydd fel pryfed cannwyll. Edrychais ar y llawr, yr oedd fel cae ar ôl sioe, yr oedd y darluniau i gyd wedi eu troi a'u hwynebau at y mur a'r pethau mwyaf anweddus wedi eu sialcio o dan luniau hen bregethwyr Cymru. Rhedais i'r gegin rhag ofn bod rhai o'r llafnau yno; yr oedd gwaeth ysgytwad yn fy aros yno. Mewn congl yr oedd Geraint efo rhyw eneth, merch i ryw ddynes yn y dref yr oedd ei gŵr wedi ei gadael am ei bod yn hel dynion. Nid oedd yr eneth ei hun ddim gwell meddid, er nad oedd fawr fwy na phlentyn. Yr oedd Geraint wedi ei chael cyn glosied ag y medrai at y wal ac yn ei chusanu fel dyn gwallgof.

'Geraint,' gwaeddais, 'dos adre'r munud yma, mi ga'i siarad efo chdi eto.'

Aeth allan yn gyflym a'i ben i lawr, ond safodd yr eneth yno gan ddal ei phen i fyny'n bowld. Pe buasai ei hwyneb yn lân buasai'n dlws.

'Well i chitha fynd adre.' meddwn wrthi.

Ni frysiodd o gwbl, eithr cerdded yn araf gan ddal ei phen ôl gweglyd ymhell oddi wrthi a gwenu'n sbeitlyd yn fy wyneb. Gafaelais yn ei hysgwydd a mynd â hi at y drws.

'Hei,' meddai hi, 'pwy ydach chi'n blydi feddwl ydach chi, ydach chi ddim yn gwybod nad oes gynnoch chi ddim hawl i roi ych dwylo ar blentyn neb arall?'

'Biti na fasa rhywun wedi rhoi cweir iawn i chi rywdro.'

Estynnodd ei thafod allan arnaf a rhedeg ar hyd y lobi reit i wyneb Gruff. Yr oeddwn yn crynu gormod i ddweud gair bron.

'Welaist ti Geraint?'

'Do a'r lleill.'

Aethom at blant y ddrama a oedd yn swatio mewn congl o'r festri fel ieir wedi dychryn; yr oedd un o'r genethod yn crïo. Yr oedd yn amlwg eu bod wedi eu dal yn y cythrwfwl a'u troi o gwmpas fel cwch papur mewn trobwll. Am funud diolchais fod plant fel hyn i'w cael, ond wrth feddwl am fy mhlentyn fy hun, meddyliwn fod yr un deunydd ynddynt hwythau. Dywedodd Gruff yn ddistaw wrthyf am beidio â bod yn hir, ei fod am fynd i weld rhai o'r blaenoriaid rhag i neb arall gael y pleser o ddweud wrthynt. Sychodd y sialc o dan y darluniau cyn myned allan.

'Treiwch anghofio,' meddwn i wrth y plant, 'mi gawn ni lot o hwyl wrth wneud hon.'

Sychodd yr eneth ei dagrau wrth gymryd y copi teipiedig o'm llaw, a daeth rhyw wên awyddus ar wyneb pob un ohonynt.

''Wnawn ni ddim ond i darllen hi heno er mwyn cael y pwyslais yn iawn.'

Darllenwyd gyda hwyl.

'Ydan ni'n cael mynd â'r copi adre, Mrs Jones?'

'Ydach.'

''Rydw i am ddysgu mhart erbyn yr wsnos nesa'.'

'A finna.'

'Dyna fo. Wsnos i heno, yr un adeg.'

Na, yr oedd y rhai yma yn wahanol.

Wrth gerdded i lawr at y tŷ ceisiwn fagu digon o wroldeb i wynebu Geraint a thybio ei fod yn beth difrifol ynof gydnabod fy mod yn llwfr efo'm plentyn fy hun. Eisteddai wrth fwrdd y gegin gan gymryd arno ddarllen. Ni chododd ei ben.

'Beth sy gen'ti i ddweud ar ôl beth welais i heno?'

'Dim.'

'Cau'r llyfr yna ac edrach arna'i.'

Caeodd y llyfr ac edrych ar y bwrdd.

'Wel, be' sy gen' ti i ddweud?'

'Dim, medda' fi eto,' yn flin.

'Nid fel'na mae ateb dy fam.'

'Os ydach chi'n disgwyl imi ddweud bod yn ddrwg gen'i, 'dydw i ddim am ddweud.'

'Mi fydd yn ddrwg gen' ti ryw ddiwrnod.'

''Dydy ddim yn ddrwg gen'i y munud yma.'

'Wyt ti'n gwybod pwy ydy'r hogan yna?'

'Ydw.'

'Ac yn gwybod hanes i theulu hi?'

'Ydw.'

'Fuost ti yn i chusanu hi o'r blaen?'

'Naddo.'

'Wyddost ti sut y daeth yr holl hwliganiaid yna i'r festri?'

'Rhedeg ar i hôl hi hyd y stryd yr oedden' nhw ac mi redodd hitha i'r festri.'

'Ar ôl un o'i chymeriad hi y bydd hogia fel'na yn rhedeg, a mi gest titha afael ynddi o'u blaena nhw.'

'Peidiwch â siarad fel snob moesol.'

Am y tro cyntaf cododd ei ben ac edrych yn fy wyneb.

'Hwda, lle cest ti'r eirfa yna?'

'Yn y tŷ yma.'

Ni allwn ei wadu. Wrth edrych arno edrychwn ar rywun nas adwaenwn. Ar hyn daeth Gruff i'r tŷ.

''Rydw i'n gadael i ti ddelio efo fo. 'Rydw i'n mynd allan.'

Sylwais fod wyneb Gruff yn wyn fel y galchen a'i wefusau'n crynu. Euthum i dŷ Melinda.

'Beth sydd arnat ti?'

'Melinda oes gen' ti lymed o frandi?'

Ceisiwn ddweud yr hanes wrthi rhwng ebychiadau o grio.

'A mae hynna wedi dy wneud ti'n sâl?'

'Mi'r oedd o'n ddigon i wneud unrhyw un yn sâl!'

'Bet, mae'n hen bryd iti gallio a gwybod beth sy'n digwydd yn y byd. 'Dydy hynna welist ti heno yn ddim byd ond yr hyn sy'n digwydd ymhobman ym mhob gwlad heddiw. Dylset fod wedi galw'r llafnau a'r llafnesi yna'n ôl a threio dysgu rhywbeth iddyn' nhw?'

'Mi wyddost o'r gorau fod Gruff wedi gwneud pob dim yn i allu i gael y plant at bethau mwy sylweddol na gwagsymera hyd y strydoedd, trwy'r Urdd a phethau felly, ond heb gael gafael arnyn' nhw yn unman. Mae yna rai pobol y mae'n rhaid iti eu troi nhw heibio fel y bydd siopwr efo hen ddyledion.'

'Y drwg efo chdi ydy dy fod ti'n dŵad rhwng dau gyfnod: 'dwyt ti ddim digon hen i berthyn i'r hen griw

cul oedd yn flaenoriaid pan oedden' ni'n blant, a 'rwyt
ti'n rhy gul i berthyn i bobol ifanc heddiw.'

'Ydw, o drugaredd, a faswn i ddim yn wraig i
weinidog oni bai am hynny.'

'Mae gweinidogion yn priodi rhai digon rhyfedd
weithiau, a 'rydan ni'n clywed am blant gweinidogion
yn cael plant siawns.'

Yr oedd ei llygaid wedi meinhau ac yn fy chwilio i
weld sut y cymerwn y peth. Gwylltiais innau.

''Ddwedais i ddim fod Geraint yn gwneud dim gwaeth
na chusanu'r eneth yna.'

'Paid â cholli dy limpyn, mae o yn yr oed i wneud
pethau gwaeth. Mae hogiau o'i oed o yn Ffrainc yn mynd
i fyw efo merched, ac nid i priodi nhw fel y dwedais i
acw y noson o'r blaen.'

'Diolch yn fawr iti am ystyried yn teimladau ni o flaen
Mr a Mrs Bryn y noson honno,' meddwn i yn goeglyd.

Yr oeddwn yn ei chasáu am funud. Codais a dweud,
'Nos da.' Yr oedd llai o gasineb yn fy nghalon at Geraint.
Yr oedd Gruff ar ei ben ei hun yn y gegin.

'Lle mae Geraint?'

'Mae o wedi mynd i'w wely.'

Nid oedd arnaf eisiau cael gwybod gan Gruff beth a
fuasai rhwng y ddau. Euthum i'r llofft, ac wrth imi ei
basio rhoes Gruff ei ben ar fy ysgwydd; meddyliwn fy
mod yn ei glywed yn igian crïo. Yr oedd Geraint yn
gorwedd ar ei wely yn ei ddillad ac yn crïo i'r cwilt.

'Well iti ddŵad i lawr i gael swper.'

Dim gair.

'Geraint, well iti ddŵad i lawr i gael swper efo dy dad
a minna, mi anghofiwn ni'r hyn sy wedi digwydd.'

56

Euthum i lawr, yr oedd Gruff wrthi yn hwylio swper. Yr oedd gennyf bastai cig eidion a lwlen yn y popty wedi bod yn gwneud yn araf tra fûm allan. Daeth Geraint i lawr o lech i lwyn ac eistedd wrth y bwrdd; ac er bod yr awyrgylch yn ddistaw ac yn ddieithr, teimlwn ein bod yn un teulu ac yn deall ein gilydd.

'Mae'r bastai yma'n dda mam; oes arnoch chi eisio cadw peth at yfory?'

'Nag oes, mi bytwn ni hi i gyd heno.'

'Mae hi'n ardderchog,' meddai Gruff, 'mi'r oeddwn i bron â llwgu.'

Cliriwyd y ddysgl. Helaethwyd y pryd drwy fwyta ffrwythau. Nid oeddem mewn brys i adael y bwrdd a daeth y siarad yn ôl. O dan y lamp yr oedd wyneb Gruff yn welw ac yn denau ond yr oedd ei lygaid yn hapus.

5

ERBYN trannoeth yr oedd y mwgwd wedi dyfod yn ôl a'r düwch cyn drymed ag o gwbl, yn cuddio gwaelod fy nghalon. Yr oeddwn yn eithaf sicr nad helynt y noson gynt a ddaethai ag o y tro yma. Teimlwn ynglŷn â hynny fel pe bai rhywun wedi cymryd ysgub ac ysgubo'r tŷ yn lân. Nid y sgwrs efo Melinda ychwaith. Nid oeddwn heb wybod am lawer o'r pethau a ddywedai hi; ei ffordd amrwd hi o'u dweud a roddai ysgytwad i mi. Yr oeddwn yn berffaith sicr ynof fi fy hun nad dim byd o'r tu allan a achosai'r digalondid. Ynof fi fy hun yr oedd, yn codi ohonof fi fy hun. Gwelwn ef yn ddarluniau o flaen fy llygaid, yn niwl, yn fwgwd, yn rhew, yn bwysau wrth graen. Yr oedd y düwch yno, dyna'r cwbl, wedi disgyn cyn ddistawed â niwl ar y wlad. Nid mynd ymaith yr oedd pan siaradwn efo phobl; medru ei guddio y byddwn hyd yn oed efo Gruff. O'r tu allan yr oedd cannwyll bach yn goleuo fel y golau trydan uwchben y drws ffrynt a'r tŷ yn dywyll — y ddrama oedd honno.

Felly y teimlwn y nos Fercher dilynol pan ymlwybrwn i'r capel erbyn saith. Ni welwn bwrpas i ddim, ond yr oedd yn llai o drafferth mynd na pheidio. Yr oedd eiddgarwch y plant pan gyrhaeddais yn hwb.

Yr oedd cyfarfod arall i fod yn y festri a cherddais yn syth ar hyd y lobi i'r gegin gan adael y plant yno. Deuai sisial siarad o'r gegin, a phan agorais y drws gwelais nifer o ferched yno yn gylch o gwmpas y grât a sylweddolais mai cyfarfod o Gymdeithas y Gwragedd ydoedd.

'O,' meddwn i, ''wyddwn i ddim fod cyfarfod o'r Gymdeithas yma heno.'

'Na,' meddai'r llywydd a eisteddai ar ben y cylch yn fy wynebu, 'mi anghofiwyd i gyhoeddi fo nos Sul.'

Siaradai'n gloff fel dynes wedi ei dal yn dwyn a'i hwyneb yn syllu i'r grât ac nid arnaf fi.

'Ond yn y p'nawn y mae'r Gymdeithas wedi cyfarfod bob amser.'

'Ia, ond mi'r ydan ni wedi penderfynu'i gael o yn y nos rŵan.'

'Pwy ydy "ni" felly?'

'Mi ddaru i'r swyddogion benderfynu'i alw fo heno am hanner awr wedi chwech, ac mae'r gweddill ohonon' ni wedi cydsynio heno i gael o yn y nos o hyn ymlaen.'

Yn ystod y sgwrs yma ni throes neb ohonynt ei phen, a gwelwn du ôl i res o bennau a'r gwallt arnynt fel wigs cymesur, a chlwt o gochni rhwng gwddw blows pob un a godre ei gwallt.

'Wel, mae gen i rihyrsal efo'r plant, ac mae'n bwysicach i mi gael y gegin efo nhw, gan i bod hi'n bosib i chi gyfarfod yn y p'nawn — fedran nhw ddim dŵad yn y p'nawn.'

Dyma un o'r pennau tonnog yn troi i'm hwynebu, dynes a chanddi drwyn fel sgwner a âi â hi i rywle, i'r Mericia neu i swydd dda.

'Wel,' meddai hi, 'gan mai ni oedd yma gynta', y ni ddylai gael aros.'

Cochodd i gyd wrth ddweud.

'Ia, mi ddaru i chi ofalu'ch bod chi'n cyfarfod am hanner awr wedi chwech yn lle am saith; 'wyddwn i ddim bod yma gyfarfod o gwbl, heb sôn ych bod chi'n cyfarfod am hanner awr wedi chwech.'

'Mi anghofiais i ddweud wrthoch chi,' meddai'r llywydd gyda gwên hollol ffuantus.

Gwyddwn ei bod yn dweud anwiredd.

'O dyna fo. Mae'n debyg na fedra'i mo'ch symud chi oddi yma, ond mi eith y ddrama yn i blaen, ac mi fedrwn godi arian i'w hanfon i blant newynog y byd, peth llawer rheitiach na hel arian i gael moethau i gapel sy'n mynd â'i ben iddo.'

Ar hynny cododd gwraig swil i ddweud rhywbeth; gafaelodd yng nghefn ei chadair i'w chynnal ei hun. Dechreuodd fwngial a thybiais ei bod ar fin syrthio mewn llewyg. Ond yn hollol sydyn, ymsaethodd air allan o'i genau fel carreg o dafler, a'r gair hwnnw oedd 'Mrs Jones.'

'Mrs Jones,' meddai eilwaith, 'mi hoffwn i chi wybod mai dim ond y p'nawn yma y ces i wybod gan yr ysgrifennydd fod eisio i mi ddŵad yma heno erbyn hanner awr wedi chwech, a Mrs Lewis sy'n eista yn fan'ma wrth f'ochr i. A 'wnaeth yr un ohonon ni'n dwy fotio dros gael y cyfarfod yn y nos, a 'dydan ni ein dwy ddim yn meddwl bod angen grât newydd yn y gegin yma, a chymaint o bobol yn llwgu dros y byd.'

Clywn sibrwd a chwerthin distaw yn fy nilyn i'r lobi.

'Mi awn ni i'r capel,' meddwn i wrth y plant, 'mae hi'n ddigon cynnes am heno; mi gawn ni rihyrsal yn ein tŷ ni o hyn ymlaen.'

'W-w,' meddai'r eneth a oedd yn crio y noson gynt, fel pe bai hi'n cael mynd i blas y Frenhines. Mi gâi siom pan welai hi ein carpedi digotwm ni.

Nid oedd Gruff yn synnu wedi imi ddweud wrtho ar ôl mynd adre; tybiai fy mod wedi mynd yn rhy bell efo'm colyn olaf iddynt er ei fod yn wir. Iddo ef cyd-ddigwyddiad oedd y peth; gair hwylus iawn oedd 'cyd-ddigwyddiad' ac yr oedd llawer gormod ohono yn ein capel ni. Dechreuais chwerthin yn afreolus wrth feddwl am ddifrifoldeb cefnau'r merched a thrwyn main y wraig a fentrodd droi ei hwyneb ataf, cryndod y wraig swil a holl fychandra merched a fynnai fod ar y blaen heb y gallu i fod. Bychander ynof finnau oedd meddwl am y fuddugoliaeth a gawn pan chwaraeid y ddrama. Ond ni adewais i ddim fel yna fy mhoeni.

Meddyliais unwaith am fwrw fy nhu mewn wrth Gruff. Âi'r pyliau digalondid a'r diffyg gobaith yn amlach erbyn hyn; pe bawn i'n sôn wrth Gruff, gwyddwn ar y gorau y dywedai ef mai cyflwr yr eglwys a achosai hynny ac y byddem yn mynd i'r hen rigolau o ddadlau. Gwyddwn innau nad oedd a wnelai pigiadau'r capel ddim â'm digalondid; pe na bawn yn ddim ond aelod a chennyf ffydd, a heb fod yn aelod a ddeuai i gysylltiad agos â'r aelodau, gwyddwn yng ngwaelod fy mod y byddai'r ddolen a'm daliai wrth fy ffydd ar fin torri yr un fath yn union. Dyna a'i gwnâi'n anodd imi sôn am y peth wrth Gruff. Yr oedd o mor gadarn, yn ddi-ildio, yn dal i fynd ymlaen. Nid oedd yn rhy ddall i weld bod y capel yn gwagio, bod y rhai a elwid yn 'ffyddloniaid' yn ddicra a di-aberth ac nad oedd y casgliadau'n ddigon i dalu'r treuliau.

Y nos Lun dilynol dywedais wrtho nad oeddwn am fynd i'r cyfarfod gweddi; nid diflastod ar gyfarfod gweddi a wnâi imi ddweud hynny — rhyw deimlad y gallwn fynd pe bai rhywun yn fy narbwyllo — eithr gwrthwynebiad mileinig i gyfarfod gweddi; i gyfarfod oedd wedi mynd fel hen fynwent a'i cherrig beddi wedi suddo'n wastad â'r ddaear.

'Be sy'n bod? Wyt ti ddim yn dda?'

'Ydw, 'rydw i'n iawn, ond 'does arna i ddim eisio mynd i'r cwarfod gweddi.'

'Aros gartre heno, ella y teimli di'n well at yr wsnos nesa.'

'Na wna,' mae'n gas gen i gyfarfod gweddi; 'does arna'i byth eisio mynd i un. 'Fedra'i ddim gwrando ar ddynion yn dweud wrth y Bod Mawr beth y dylai O ei wneud.'

'Gofyn y maen' nhw ac nid dweud.'

'Naci, os gofyn mi allsan' wneud hynny'n ddistaw gartre. Annerch y maen' nhw, siarad er mwyn clywed eu lleisiau 'i hunain. Rhagrith ydy'r cwbl.'

'Mi all cyfarfod gweddi fod yn addoliad.'

'Pam i alw fo'n gyfarfod gweddi ynta; a phan mae rhywun yn gwybod mor anonest ydy'r rhan fwyaf o'r bobol yna sy'n mynd o flaen Gorsedd Gras, mi'r ydw i'n teimlo y basa'n well i mi fod gartre.'

'Bet, mi'r wyt ti'n anghofio un peth: rheitia'n y byd ydy iddyn' nhw weddïo; 'does gynnon ni ddim hawl i barnu nhw; pechaduriaid ydan' ni i gyd.'

Clywswn y ddadl lawer gwaith o'r blaen.

'Mae yna wahanol fathau o bechaduriaid hefyd; rhai sy'n meddwl a rhai sydd ddim yn meddwl, a fedra'i byth gredu bod y bobol yna'n meddwl.'

'Fedri di byth ddweud: mae mwy o'n bywyd ni o'r golwg nag sydd yn y golwg.'

Gwyddwn nad oedd waeth imi heb â mynd ddim

pellach.

'Efallai y teimli di'n wahanol rywdro.'

Edrychais arno yn mynd i'r lobi i roi ei gôt amdano.

Tosturiwn wrtho am i mi fod mor gas. Edmygwn ef am ddal i gredu yn y ddynoliaeth; amheuwn ai cryfder oedd hyn, ac yr oedd rhywbeth yn osgo ei gefn erbyn hyn a wnâi imi feddwl bod ei gryfder yn dechrau gwegian. Pa un ai ei ffydd ai ei synnwyr o ddyletswydd a'i gyrrai ymlaen? Teimlwn nad oedd gennyf fi'r un o'r ddau.

Caraswn gael rhywun hollol ddieithr i gyffesu wrtho. Oni bai bod Wil yn byw yn rhy bell buaswn yn mynd ato fo; yr oedd o wedi sôn am golli ffydd yn ei lythyr, ond buasai'n rhaid imi egluro i Gruff.

Ni allwn fod yn ddiddig yn y tŷ: nid nos Lun oedd bod gartre. Penderfynais fynd i dŷ Melinda, ond nid cyn teleffonio iddi i egluro pam yr oedd arnaf eisiau ei gweld, rhag ofn imi gael blas ei thafod yr un fath â noson helynt Geraint. Dywedais wrthi fy mod yn ddigalon i baratoi'r ffordd. Yr oedd ei llais yn garedig wrth iddi ddweud 'Tyrd ar d'union.'

Ar y ffordd yno teimlwn fel plentyn wedi chwarae triwant o'r ysgol, mor rhydd ag aderyn un munud ac ias pleser yn mynd trwy fy aelodau, a'r munud nesaf yn cael poen cydwybod a'm dychrynai.

Yr oedd carpedi Melinda mor ddwfn fel eu bod yn cau'r byd allan yn gyfan gwbl wrth imi gerdded i'w pharlwr cefn. Yr oedd ganddi dân bychan, coch yn y grât, a disgynnais innau i gadair fel gwely plu. Sylwais ar botel win a dau wydr drud ar y bwrdd.

'Ŷf hwn, a dwed dy stori. Mae rhywbeth yn dy boeni

ers talwm, on'd oes? Mi fedrwn i ddweud hynny pan ddoist ti'n ôl o'r bwthyn.'

'Na, 'does dim byd ar fy meddwl i, dim pryder na dim felly.'

'Ydy'r merched yna tua'r capel yn dy boeni di?'

''Dydyn nhw ddim gwerth sylw.'

'Wyddost ti, 'dydw i ddim yn meddwl y dylet ti fod yn wraig i weinidog.'

'Priodi Gruff wnes i, nid priodi gweinidog.'

'Ia, ond mae'n rhaid iti dderbyn pob dim sy'n digwydd i Gruff yn i eglwys. Thalsa hi ddim iti gadw draw o'r moddion a phethau felly.'

''Rydw i wedi gwneud heno.'

'Pam?'

'Am fy mod i wedi syrffedu ar gyfarfod gweddi.'

'Ac ar gyfarfodydd eraill?'

'O nag ydw. Ond mi'r ydw i'n meddwl i fod o'n beth ofnadwy fod pobl faterol yn gweddïo yn gyhoeddus.'

'Mi allan' weddïo am faddeuant.'

'Dyna ddwedodd Gruff, a mae o'n dweud nad ydw i ddim gwell na nhwtha.'

'Mae arna i ofn dy fod ti'n disgwyl gweld gormod o berffeithrwydd mewn byd ac eglwys. Wyddost ti, mae yna fardd mawr yn Ffrainc sy'n addoli pechod. Mae o'n ddyn hynaws a hael, ac mae Cristnogion yn cael i denu gynno fo, ac yn cywilyddio.'

'Mi alla i'n hawdd gredu, 'rydan ni'n bobol mor sâl. Ond nid y pethau yna sy'n fy mhoeni i, pethau o'r tu allan i mi ydy'r rheina. O'r tu mewn i mi mae'r drwg. 'Rydw i wedi mynd i feddwl nad oes dim pwrpas i fywyd. 'Rydw i wedi colli fy ffydd.'

'Mi ddoi allan o hwnna. 'Rydw i wedi'i gael o lawer gwaith.'

Dywedodd y peth mor ysgafn fel na fedrwn ei chredu.

'A wyddost ti, 'dydan ni byth yn cael pregeth sy'n cryfhau ffydd neb; dim ond rhyw sôn am feiau cymdeithas, yr un fath â thasan' ni byth yn darllen papur newydd.'

''Dwn i ddim fedar pregeth gryfhau ffydd neb, rhaid i hynny ddŵad o dy brofiad ti.'

'A mhrofiad i rŵan ydy nad oes yna ddim byd yn fy nal i wrth fywyd.'

'A mae arna'i ofn na fedra i wneud na dweud dim i dy helpu di. Yr unig lefydd y bydda i'n i gweld hi'n hawdd i weddïo ydy yn yr eglwysi ar y Cyfandir. 'Dwyt ti ddim yn 'nabod neb o dy gwmpas yn fanno.'

Teimlwn ychydig yn well wedi cael dweud, er fy mod i'n gweld mai ofer pob siarad a thrafod. Nid oedd neb yn cyrraedd glan na dyfod o hyd i'r gwir wrth siarad. Dylswn innau wybod na buasai Melinda byth yn dweud ei meddyliau wrthyf fi. Wrth gerdded adref trwy dywyllwch trist rhy gynnar yr hydref y peth a lynai yn fy meddwl oedd fod yn rhaid imi dderbyn pob dim a ddigwyddai i Gruff yn ei eglwys. Er ei fwyn o, fe awn eto i'r cyfarfod gweddi.

Wrth eistedd wrth y tân yn y gell cyn mynd i'r gwely buom yn sgwrsio fel arfer. Ni soniwyd am y cyfarfod gweddi a theimlwn yn gynnes iawn at Gruff am adael llonydd imi. Yr oedd yn meddwl, mae'n debyg, nad oedd dim mwy y tu ôl i'r peth na chwiw a ddiflannai. Yr oedd Geraint yn y gegin yn gweithio ei orau. Nid oedd wedi dangos dim awydd i grwydro'r strydoedd ar ôl noson yr helynt yn y capel. Fel pe buasai ei feddwl wedi bod yn crwydro o gwmpas tŷ Melinda dyma Gruff yn gofyn yn sydyn:

'Ydy Melinda yn mynd dros y môr 'leni?'

'Soniodd hi ddim.'

Tybiwn am funud nad oedd hyn ddim ond ffordd o fynd o gwmpas i gael gwybod am beth y siaradem ein dwy.

'Mae yna ryw hen straeon yn mynd o gwmpas ei bod hi'n mynd i ffwrdd gymaint i'r gwledydd pell yna am i bod hi'n ffrindia efo dynion.'

Gwridais, ond arhosais funud cyn ateb.

'Fedra'i ddim credu hynny.'

'Na, mae'n anodd iawn gen inna gredu hynny. Ond mi fynn rhai pobol roi gwaith i'w dychymyg.'

Ar adegau eraill, mi fuaswn wedi colli fy limpyn a gwylltio, ond yr oedd y sgwrs a gawson wedi fy mharatoi i beidio â synnu at ddim a glywn amdani.

'Ond mi fydda' i'n synnu at un peth,' meddai Gruff wedyn, 'na fuasai hi'n gwario'i harian ar rywbeth fuasai'n dŵad â chysur i bobol.'

'Mae hi'n rhannu llawer.'

'Ydy at bethau sy'n diflannu; pe tasa hi'n rhoi llyfrau i'r capel neu rywbeth felly, mi fasa hynny'n aros.'

'Basa, ond fel arall y mae hi wedi dewis. Mi gafodd gimint o gnoc pan fu farw'i gŵr hi mor fuan wedi iddi briodi; yn fanno mae'i meddwl hi o hyd, ac anodd gen i gredu'r stori arall. 'Rydw i'n gwybod bod teithio yn effeithio ar i syniadau hi, ac nad ydy hi ddim yn edrach ar bechod yr un fath â ni, ond 'dydy hynny ddim yn meddwl i bod hi'n byw yn ôl i syniadau.'

'Nag ydy. Wyt ti'n cofio fel y bydden' ni'n blant, yn treio gwneud rhywbeth clyfar i ddangos yn gorchest. Felly y bydda' i'n meddwl am Melinda a rhai tebyg iddi hi. Mae arnyn' nhw eisio dangos i bod nhw'n llydan iawn, ond pan ddaw hi'n dro i ymddwyn, maen' nhw cyn guled â neb.'

Cyn mynd i gysgu'r noson honno bûm yn meddwl llawer am y peth. Un munud ffieiddiwn wrth Melinda wrth feddwl y gallai'r stori fod yn wir, y munud nesaf teimlwn na ddylwn gymryd sylw ohoni. Yr oeddwn yn perthyn i ddau fyd, byd llyffetheiriol fy ieuenctid, a'r byd newydd a welwn, y clywn ac y darllenwn amdano mewn llyfrau lle na welid bai ar bechod. Tybiais un munud y dylwn fynd i weld Melinda a dweud wrthi am y sôn a'r siarad amdani. Ond os nad oedd yn wir, y fath boen a rown iddi! Os oedd yn wir, efallai na chyfaddefai, neu gyfaddef a gweld na wnâi ddim o'i le. Y fi a deimlai'n fychan wedyn. A phe bai'n wir, teimlwn na allai newid fy nheimladau tuag ati, yr oeddwn yn ei hoffi gymaint. Ni fuaswn yn ei gadael pe bai hi'n swp o bechod.

Yna aeth fy meddwl at y sgwrs a gafodd Gruff a minnau. Tybed a oedd ef yn meddwl bod Melinda yn dylanwadu arnaf fi, a'i fod o'n treio canfod pam nad oedd arnaf eisiau mynd i'r cyfarfod gweddi. Yr oeddem ein dau yn gwylio ein gilydd fel cath a llygoden.

6

Rheitiaf yn y byd oedd imi fynd i'r cyfarfod gweddi felly; fe adewais lonydd i Melinda. Pan ddywedodd hi ei bod am fynd ar y Cyfandir yn fuan daeth chwithdod imi wrth feddwl na chawn redeg ati. Efo hi y cawn siarad am bethau nad oedd a wnelent ddim â'r capel, a siarad am bethau anghyffredin bywyd. Pa un bynnag a gydwelwn â hi ai peidio, yr oedd yn rhaid imi gyfaddef bod yr ysgytwad a roddai imi yn fy hitio'n ddigon caled imi fynd ar drywydd arall a gweld ffenestri eraill yn agor. Nid oedd y siarad hwnnw yn rhoi asbri imi erbyn hyn. Yr oedd fel bwyd yn gwrthod treulio.

Euthum oddi wrth sgwrsio at ddarllen, darllen llyfrau a debygwn i a roddai ymwared i mi. Llyfr y Tri Aderyn. Eithr y peth cyntaf a ddarllenais yno oedd, '. . . na roed neb le i'r meddyliau duon; canys pan ddelo Ysbryd y Nef i mewn, efe a ostega (drwy ostwng) y dwfr dilyw sydd yn dy galon di, ac yno di gei weled pennau y bryniau, a'r meddyliau tragwyddol, cariadus, yn ymddangos o'r tu fewn.' 'Mae'r Goruchaf yn galw y goleuni allan o'r tywyllwch, yn troi cysgod angau yn foreddydd.' 'Mae'r creadur yn ymlusgo ar ôl ei oleuni; . . .' Ie, ond sut? Yr oedd yn hawdd iawn i arddull Morgan Llwyd redeg yn llyfn a'i ffrwyn ar ei gwar a rhoi boddhad mawr i'w chrëwr wrth iddo droi'r geiriau rhyfeddol ar ei dafod. Hawdd oedd dweud bod y Goruchaf yn galw'r goleuni allan o'r tywyllwch. Ond sut? Yr oedd mwy o reswm o lawer yng nghwestiwn yr Eryr. 'Ond pa fodd mae i feddwl dyn gael llonydd?' Nid oedd ateb y Golomen yn rhoi dim cysur i mi. Nid oedd mynd i mewn i'r ystafell ddirgel (fel y dywedai'r Golomen) yn mynd i roi i mi ystyr i fywyd. Ond dyna fo, nid oeddwn i'n gyfrinydd; yr oeddwn yn hoffi bywyd ac yn hoffi ei foethau. Yn y byd yr oeddwn yn byw, ac yr oedd y byd yn greulon.

Wedyn, euthum i ddarllen hanes Heledd yn llyfr y Dr Thomas Parry, a'i galar ar ôl ei brawd uwchben adfeilion ei hen gartref. Gwyddwn nad digalondid colli ffydd oedd ei galar hi, eithr galar noeth pagan ar ôl y marw, galar un heb grefydd yn ganllaw iddi, yn derbyn ei thynged yn ddi-obaith a chael ei naddu hyd i'r asgwrn. Nid rhyfedd iddi fynd allan o'i phwyll. Eto, er mor wahanol oedd yr amgylchiadau, teimlwn fy mod yn perthyn yn nes i Heledd nag i Morgan Llwyd. Nid oedd geiriau moethus yn glustogau o dan ei galar hi. Gallwn ddychmygu stafell Cynddylan, y tywyrch wedi disgyn oddi ar y to; topen wedi aros yma ac acw a barf linynnog wrthi; y cerrig a fuasai'n cysgodi'r tân wedi duo ac ambell frigyn arnynt, a'r lle yn wag. Digon posibl bod Heledd yn hoffi cysuron cartref.

Yr oeddwn innau yn anwesu cysuron; yn mwynhau fy mwyd, yn mwynhau dilledyn newydd; yn mwynhau'r mymryn lleiaf o rywbeth yn y tŷ, rhywbeth a'i fflonsiai. Mwy na'r cwbl mwynhawn lonyddwch ar ôl gorffen gwaith; cael eistedd yn gysurus mewn cadair a synfyfyrio uwchben cwpanaid o de. Moeth hollol oedd hwnyna ychydig amser yn ôl, rhywbeth i orwedd arno; erbyn hyn ffon ydoedd i yrru peth arall i ffwrdd.

Yr oedd Gruff wedi mynd i ffwrdd ar ôl cinio ac ni

fyddai adref hyd yn hwyr. Edrychwn ymlaen at gael prynhawn o lonyddwch. Ar ôl golchi llestri cinio euthum i ymbincio; gwisgais fy ffrog orau a rhoi powdr ar fy wyneb. Estynnais un o'm llieiniau te p'nawn gorau, un gwyn a les wedi ei chrosio o gwmpas ei ymylon, a'i gosod ar letraws yn groes-gongl ar y bwrdd, bwrdd yr oeddwn wedi ei staenio'n ddu; yr oedd y cyferbyniad rhwng y bwrdd a'r lliain yn bleser i'r llygad. Gofelais am gael pob congl o'r lliain yn hollol ar ganol ochr y bwrdd. Estynnais y llestri gorau allan, llestri â phatrwm o flodau glas a choch gwan arnynt gydag ymyl aur ddisglair. Yr oeddwn wedi gwneud teisen felen, jam rhwng ei dau hanner a siwgr mân ar ei hwyneb. Yr oedd ei haur gwelw mor dlws fel bod yn resyn ei bwyta. Ar gongl arall yr oedd dysgl bach o jam mefus coch gloyw a'r mefus bron yn gyfain ynddo; ar ganol y bwrdd brechdanau mor denau â les a'r menyn yn dangos ei ddagrau. Canai'r tegell yn gysglyd ar y stôf; rhoddais y dŵr ar y tebot a gadael iddo fwrw'i ffrwyth, a symud y tegell rhag i mi glywed sŵn undonog ei ganu. Gadawsai Geraint ei gap ar y gadair cyn mynd i'r ysgol a'i adael ef ei hun yn y cap. Euthum ag ef i'r lobi. Yr oedd ôl corff Gruff ar glustog cadair arall; ysgydwais y glustog a'i throi i'r ochr arall. Yr oedd yn wynt mawr o'r tu allan ond yn dawel y tu mewn, a theimlwn fod cysur y gegin fel bwa blewog am fy ngwddw. Tywelltais y te yn araf a phenderfynu fy mod yn mynd i fwynhau pob cegiad ohono a phob tamaid o'r bwyd.

Codais fy mhen a gweld bod Nel, y gath, ar fwrdd y ffenestr y tu allan yn agor ei cheg yn ddi-fewian druenus. Codais a mynd i agor y drws iddi; yr oedd yno cyn imi weiddi a'i blew yn troi tu chwithig allan. Eisteddodd ar ei phlanced, yna gorwedd a chyrlio yn y cysur. Wrth fwyta, edrychwn ar y goeden yng ngardd y drws nesa; un munud yr oedd ei changhennau yn arwain côr fel cerddor gwallgof wedi ymgolli yn ei waith; yna moesymgrymai yn llaes i mi; codai ei llaw arnaf wedyn a'i dail yn rhedeg ymaith. Yr oeddwn fel pe bawn yn edrych ar ddarlun heb gymryd fawr o ddiddordeb ynddo. Yr oedd y bwyd yn goglais fy archwaeth a gwneud imi ddymuno ychwaneg; yr oeddwn am fwynhau sigarét wedyn. Ar hynny dyma'r gegin yn crynu a'r awyr yn cwafrio gan sŵn cloch drws y ffrynt. Euthum â'r blwch sigarét i'r gegin bach a mynd at y drws heb frysio. Yno yr oedd llywydd Cymdeithas y Gwragedd.

'Ydy Mr Jones i mewn?'

'Nac ydy.'

Daeth siom i'w hwyneb.

'Fydd o i mewn ryw dro heddiw?'

'Na fydd.'

Symudodd a rhoi ei phwysau ar gilbost y drws, o'r lle y gallai weld i mewn i'r gell.

'Na, 'dydy Mr Jones ddim yn i gell,' meddwn i.

Symudodd hithau'n sydyn i ganol y grisyn. Syllais arni. Yr oedd yn ddynes landeg, yn tueddu i fod yn flonegog; ei gwallt yn donnau perffaith; ei blows wedi ei smwddio'n raenus a rhai o'i dillad isaf lesog i'w gweld trwyddo, ei wddw'n ddigon isel i ddangos chwydd ei bronnau. A oedd y merched yma yn ceisio cael Gruff i gymryd diddordeb ynddynt hwy trwy iddynt hwy gymryd diddordeb yng ngwaith yr eglwys?

'Yr hen Robert Hughes sy'n sâl,' meddai hi.

'Wel, 'dydy ngŵr i ddim yma, a'r doctor ydyw'r gorau i'w gael pan fo rhywun yn sâl. Beth sy'n bod arno fo?'

'Yr eryr.'

'O wel, mi eill aros.'

'Fedrwch chi ddim mynd i weld o?'

'Na fedra', a 'dydw i ddim yn gweld bod eisio i neb redeg. Mi'r ydw i'n treio cael munud o seibiant.'

'Dyna fo. Mi a'i yno i ddweud.'

Cychwynnodd i lawr y grisiau ond nid cyn rhoi un cilwg imi a ddangosai ei bod yn meddwl bod deunydd llofrudd ynof.

Yr oedd y goeden yn fy ngwahodd yn ôl, a'i braich yn amneidio, 'Tyd.' Ail-ferwais y tegell a rhoi te arall yn y tebot; ond nid oedd hwn yr un fath. Taniais sigarét; pur sych oedd honno hefyd, ond yr oedd yn help mawr imi synfyfyrio.

Yr oedd y gegin yn crynu unwaith eto. Jane Owen, hen wraig oedd yno y tro hwn, ac yr oedd i mewn yn y lobi bron cyn i mi ofyn iddi.

'O, mae gynnoch chi rywun i fisit yma.'

'Nag oes, neb ond fi fy hun.'

'A mi'r ydach chi'n gwneud yr holl steil yma i chi'ch hun.'

'Ddim bob diwrnod.'

'Ydach chi'n cael ych pen blwydd neu rywbeth?'

'Nag ydw.'

''Rydw i'n clywed ogla smocio.'

Ar hynny dyna hi'n tynnu tun snisyn allan, rhoi tipyn rhwng ei bys a'i bawd a'i roi yn ei ffroen gan ddal ei phen ar un ochr fel iâr yn gwrando. Rhag ofn iddi feddwl fy mod i'n cuddio rhyw ddyn yn y gegin bach, euthum ymlaen i smocio. Gwneuthum de iddi a hithau'n dal i snyffian a rhwbio'r llwch i ffwrdd oddi ar ei chôt.

' "O mor felys manna cudd",' meddai hi.

''Dydy o ddim mor gudd i mi, mae o'n gysur mawr, ambell un ambell ddiwrnod.'

'Ydy, ond tendiwch i ferched y capel yna ddŵad i wybod. Ydy o'n wir i bod nhw wedi'ch troi chi o'r gegin rhag i chi gael practis drama yno?'

'Na, newid y noson ddaru nhw. Y fi symudodd, mae hi'n brafiach lawer cael y plant yn y tŷ.'

''Faswn i ddim wedi symud iddyn' nhw. Fedra i ddim diodda'r cythreuliaid. Mi fasech yn meddwl mai nhw sy'n dal y byd wrth i gilydd a maen' nhw mor ddwl â mulod. Gwrtaith da ydy cenfigen,' gan syllu i ganol ei brechdan.

''Does dim enw rhy dda i rai ohonyn' nhw yn siopau'r dre yma, a dwyn ydw i'n galw mynd i ddlêd. A maen' nhw'n torri cyt efo'u hen Saesneg yn y capel a phobman, yn cymryd arnyn' fod yn ffrindiau mawr ac yn lladd ar i gilydd efo phobol erill. Dyna i chi honna sy'n byw yn y tŷ pen wrth f'ymyl i; haws cael cythraul o'i dwll na chael arian allan ohoni hi. A watsiwch chi os bydd gofyn i'r merched aros ar ôl i rywbeth ar nos Sul, y hi ydy'r gynta' yno yn ymsythu yn y sêt.'

Yr oedd a'i phen i lawr o hyd. Gadewais iddi fynd ymlaen am nad oedd gennyf ddim i'w ddweud.

'Mae crefydd wedi mynd yn bricsiwn wir. 'Does yna neb yn diodda dim dros grefydd heddiw, os rhon' nhw ryw fymryn at yr achos a mynd â bwnsh o flodau i rywun sâl, maen' nhw'n meddwl i bod nhw wedi gwneud digon, a chitha'n gwybod bod gynnyn nhw filoedd ar filoedd yn y banc. A maen' nhw mor grintachlyd, dyna i chi'r dyn barfog yna sydd yn y sêt fawr, tasa hwnna yn digwydd bod yn gwerthu cnau mwnci (lwc nad ydy o ddim) mi fasa'n torri cneuen fwnci yn i hanner cyn y basa fo'n gadael i'r clorian fynd i lawr iot. A mae o byth a beunydd yn lladd ar bobol sy'n cymryd glasied. Mi fydda' i'n cymryd glasied o stowt bob nos, hwnnw a'r snisyn yma ydy'r unig bleser ydw i'n gael, a 'rydw i wedi gweithio'n ddigon caled ar hyd f'oes. Mae'r te yma'n dda.'

'Cymerwch baned arall.'

'A 'thydy pregethwrs rŵan ddim cystal â rhai ers talwm.'

''Oedd y rheiny'n dda iawn, ynte dim ond dweud y mae pobol?'

'Mi'r oedd yn bleser gwrando arnyn' nhw, a nid hynny oedd y cwbwl, mi fedrech gofio beth oedden' nhw wedi'i ddweud am wsnosa, a mae fy ngho fi llawn cystal â'r adeg honno. Ond heddiw 'does gin y pregethwrs yma ddim i'w ddweud.'

'Cofiwch, mae hi'n adeg anodd i dreio dweud dim; 'dydy pobol ddim yn dallt; mi'r oedd ych oes chi'n dallt pan fyddai pregethwr yn mynd yn o ddyfn. Beth wneith pregethwr heddiw ond mynd yn fabïaidd gan mai babis sy'n gwrando arno fo?'

'Ella'ch bod chi'n iawn. Dwedwch i mi, wyddoch chi'r ddynes yna â'r enw digri — Mel — Mel — '

'Melinda?'

'Ia, mae hi'n mynd i ffwrdd lot dros y môr yn tydy?'Ydy o'n wir mai mynd i ffwrdd i hel dynion y mae hi?'

Ffyrnigais.

'Naci, 'dydy hynna ddim yn wir.'

'Ond wyddoch chitha ddim, 'dydach chi ddim yn mynd efo hi.'

'Mi'r ydw i'n nabod Melinda, a mi wn nad ydy o ddim yn wir. Mi fasa'n medru gwneud hynny gartra, tasa hi'n un felly. Mae hi'n crwydro byth er pan gollodd hi'i gŵr, a mae hi'n licio'r gwledydd pell yna.'

'Beth sydd o'i le ar Gymru?'

Ofer fuasai imi geisio egluro.

'Mae o'n lles i rywun newid i stondin.'

'Mi 'llasa helpu lot o bobol efo'i harian.'

'Be wyddoch chi nad ydy hi'n gwneud hynny? Mae hi'n hael iawn, a'i busnes hi ydy mwynhau'i hun fel y mynn hi.'

'Ydy o'n wir fod yr hen hogiau locsyn clust yna wedi dŵad i mewn i'r capel ryw noson a throi'r lle a'i benucha'n isa, a bod ych gŵr chi wedi'i chael hi'n iawn gin y blaenoriaid am fod yn hwyr i ryw gyfarfod?'

'Mi'r ydach chi'n gwybod mwy na mi.'

'Mae o yn wir felly.'

Daliai i fwyta heb edrych arnaf fi. Yr oedd yn hwyr gennyf iddi fynd. Yr oedd blas drwg ar fy ngheg pan gaeais y drws ar ei hôl. Pwy erioed a feddyliodd fod hen bobl yn ddiddorol? Nid oedd ddim gwahaniaeth gennyf erbyn hyn beth a ddywedai neb am Melinda. Os oedd hi'n pechu, yr oedd yn bechod mwy naturiol na hel tai i ysnachu. Diau fod popeth a ddywedai'r hen wraig yn wir, am grefyddwyr yn gyffredinol, ond yr oedd yn wir mor amlwg erbyn hyn, peth a welwn heb help llygad neb arall. Yr oedd yn well gennyf yr hyn a welwn trwy lygaid Melinda.

Dechreuais grio wedi cyrraedd y gegin yn ôl, ac felly y cafodd Geraint fi pan ddaeth o'r ysgol. Startiodd ennyd.

'Be' sy mam?'

'Dim byd.'

'Mi'r ydach chi wedi cael rhywun diarth i de, a mae'r rheiny wedi dweud rhywbeth . . .'

'Naddo.'

Edrychodd wedyn ar y bwrdd ac ar fy ffrog.

'Pam—y—?'

'Mi feddyliais y baswn i'n licio cael y pethau tlws yma ar y bwrdd i gael te, ond mi alwodd dwy o'r capel, nid efo'i gilydd 'chwaith.'

'Hen dro, ond mi'r ydach chi'n poeni am rywbeth.'

'Nac ydw, dim ond fy mod i'n ddigalon.'

''Does neb yn ddigalon ond pan mae o'n poeni.'

'Oes.'

'Ydach chi ddim yn poeni ar fy nghownt i yn nag ydach? Welis i byth mo'r hogan yna wedyn.'

'Na, 'rydw i wedi anghofio hynny.'

Meddyliais pa mor ddiddeall y bûm o gyflwr Geraint yr wythnosau diwethaf hynny, heb geisio ei helpu mewn unrhyw ffordd, dim ond dweud, 'Mi anghofiwn ni,' a gadael llonydd i'r peth, fel pe bai hynny'n ddigon i atal ei reddfau. Fe fyddai'n siŵr o gael gafael ar rywun arall, ac nid oedd ond gobeithio y deuai ar draws rhywun na byddai'n edifar ganddo ei hoffi. Codais i hwylio te arall ac yntau yn fy helpu dan chwibanu.

'Cymerwch 'paned arall efo mi mam, ac os canith y gloch 'dawn ni ddim i agor.'

Ac fe gawsom lonydd.

Y noson honno galwodd Mr a Mrs Bryn. Yr oedd eu hymweliad y noson hon fel pe bai rhywun wedi rhoi clustog tu ôl i'm cefn ar gadair galed. Yr oedd Geraint wedi mynd allan, a da oedd gennyf gael siarad â rhywun. Ond fe aeth y sgwrs i gyfeiriad na ragwelswn i.

'Maddeuwch i mi am ofyn,' meddai Mr Bryn, 'ydach chi ddim yn teimlo'n dda? Mae Maggie a minnau'n meddwl nad ydych chi ddim yn edrach yn dda ers tro.'

'Mi 'rydw i'n iawn, dipyn yn ddigalon, dyna'r cwbl.'

'Mae pethau'n ddigon i wneud rhywun yn ddigalon,' ebe Mrs Bryn.

''Dydy *pethau* ddim yn fy ngwneud i'n ddigalon.'

'Mi ddylech fynd i weld y doctor.'

'Fedran' nhwtha ddim gwneud llawer.'

'Ewch i ffwrdd efo Melinda.'

''Wnâi hynny ddim fy ngwella 'chwaith.'

'Sut mae'r ddrama'n gyrru ymlaen?'

'Y ddrama? O ia.'

Yr oeddwn wedi anghofio'n llwyr amdani, er mai hi oedd yr unig beth tua'r capel a roddai bleser i mi; yr oedd wedi ei golchi ymaith oddi ar fy meddwl fel ysgrifen oddi ar lechen.

'O mae hi'n dŵad reit dda; y peth mwya' pleserus ynglŷn â hi ydy gweld fel mae'r plant yn mwynhau actio. 'Dydyn' nhw byth yn colli rihyrsal.'

'Mi'r ydan' ni'n edrach ymlaen yn arw at i chlywed hi, ac mae llawer o bobol yr un fath.'

'Mi'r ydw' i'n meddwl,' meddai Mrs Bryn, 'bod y merched yna'n meddwl i bod nhw wedi rhoi stop arnoch chi wrth gael y gegin iddyn' nhw'i hunain. Strôc dda oedd dŵad â nhw i'r tŷ.'

'Ia,' meddwn innau, heb ddim diddordeb.

Yr oedd yn dda gennyf weld Gruff yn cyrraedd. Nid i neb ond Mr a Mrs Bryn y buaswn yn gofyn iddynt aros i swper a Gruff wedi bod i ffwrdd am y diwrnod. Wedi swper aeth Mr Bryn a Gruff i'r gell; Mrs Bryn a minnau i olchi llestri a Geraint yn ailafael yn ei dasgau yn y gegin. Wrth i'r trochion dorri ar fy modrwy ac i'm modrwy dincian ar y gwpan, gwelwn Mr Bryn yn sôn amdanaf wrth Gruff yn y gell.

'Ylwch Mr Jones, mae Maggie a minna'n meddwl nad ydy' Mrs Jones ddim hanner da; maddeuwch imi am sôn.'

Mae Gruff yn tynnu ei bibell yn sydyn o'i geg ac yn edrych yn syn ar Mr Bryn.

'Ydach chi ddim yn i gweld hi'n newid o flaen ych llygaid chi?'

'Wnes i ddim meddwl am y peth.'

'Yn lle bod yn ddynes joli, braf, mae hi wedi mynd i edrach yn ddigalon a synfyfyrgar; mae rhywbeth mawr ar i meddwl hi.'

'Mae hi'n iawn yn y tŷ efo mi.'

'Mae pobol erill yn sylwi. Ydy hi'n poeni am y pethau sydd wedi digwydd yn y capel yn ddiweddar?'

'Mae hi'n edrach fel petai hi wedi'i taflu nhw i ffwrdd, a 'dydw i ddim yn meddwl y basa pethau bach fel yna yn i phoeni hi. Mae hi i'w gweld yn hapus iawn efo'r ddrama yna.'

Nid yw Mr Bryn wedi ffeindio mod i wedi anghofio am y ddrama pan siaradem gynnau.

'Mi siarada'i efo hi,' medd Gruff yn yr un dôn â phe bai'n dweud ei fod yn siarad efo'r saer coed i ddŵad i drwsio llawr y capel.

'Mi ddylech gael y doctor i'w golwg hi.'

Mae Gruff yn dychryn, ac yn ei ail-godi ei hun yn ei gadair a thynnu'n gryf yn ei bibell.

'Erbyn i chi sôn, mi ddaru ymddwyn reit ryfedd ryw noson, peidio â dŵad i'r cwarfod gweddi; sôn am syrffed a phethau felly; ond mi ddoth wedyn, a mi'r oeddwn i'n meddwl bod y pwl wedi mynd drosodd. A mi'r ydw inna mor brysur yn rhedeg i'r fan yna a'r fan arall. 'Dydy dyn ddim yn cael amser i sylwi beth sy'n digwydd yn i dŷ i hun. 'Dwn i ddim pryd y darllenais i lyfr drwyddo ar i hyd.'

Yr oedd Gruff yn synfyfyriol iawn pan eisteddem ein dau o flaen y tân yn y gell cyn mynd i'r gwely, yn syllu i'r tân heb ei getyn.

'Bet, oes rhywbeth yn bod; wyt ti'n teimlo'n sâl?'

'Na, mi'r ydw i'n teimlo'n iawn.'

'Cyfadda rŵan, 'dwyt ti ddim wedi bod yr un fath â chdi dy hun yn ddiweddar yma, wyt ti?'

'Nag ydw.'

'Ydy'r merched yna tua'r capel yn dy boeni di?'

'Nac ydyn'.'

'Mi ofynnis i ormod iti wrth imi ofyn iti fy mhriodi fi, achos mi'r oeddet ti'n gorfod priodi'r capel hefyd. 'Rydw i wedi mynd i feddwl mai Cristionogion ydy'r bobol anhawsa'i fyw efo nhw.'

'Maen' nhw ddigon anodd yn amal, ond mae dyn yn gwybod beth i'w ddisgwyl gin bobol lle bynnag y byddan' nhw, Cristionogion neu ddim. Ond mae rhywun yn dychryn wrth feddwl beth eill ddigwydd iddo fo'i hun.'

''Does dim wedi digwydd i ti?'

'Oes, i mi y mae o wedi digwydd; 'rydw i wedi colli fy

ffydd i gyd.'

Daeth Gruff i eistedd ar fraich fy nghadair a gafael yn fy llaw.

'A mi'r wyt ti'n poeni.'

'Nid poeni ydy'r gair. Pan mae rhywun yn poeni, mae o'n gobeithio. Ond 'rydw i wedi mynd i stad o anobaith.'

'Ydy Melinda wedi bod yn siarad am bethau fel hyn wrthat ti, achos mae gynni hi ryw syniadau rhyfedd iawn?'

''Does a wnelo Melinda ddim â stad fy meddwl i.'

'Fedri di byth ddweud; mae dylanwad un meddwl ar y llall yn digwydd heb i neb wybod.'

'Na, mae Melinda yn credu, a 'dydw i ddim. Mae hi'n gweld bod ystyr i fywyd, 'dydw i ddim. Fedra i mo'i egluro fo i ti Gruff.'

''Rwyt ti'n meddwl on'd wyt nad ydw i ddim yn cael rhyw amheuon fel yna, ac na faswn i byth yn dallt.'

'Na, nid hynny ydw i'n feddwl, mi faswn i'n medru dweud yn well wrth rywun diarth. 'Rwyt ti'n perthyn yn rhy agos imi.'

''Dwn i ddim wneith hyn godi dy galon di. 'Roeddet ti'n sôn am anobaith a cholli ffydd. Mae'r anobaith yn dangos bod rhywfaint o ffydd yn aros. Mae yna ryw waelod o hyd sy'n dal dyn rhag syrthio trwodd.'

'Ond mi all rhywun eistedd yn hir iawn ar y gwaelod.'

'Yr un fath â chditha, 'rydw i'n teimlo mod i'n rhy agos atat ti i fedru dweud yr hyn faswn i'n ddweud wrth rywun arall, neu o'r pulpud. Ond mae'n rhaid inni gael y doctor yma i d'olwg di; wyddost ti ddim nad rhyw anhwylder corff sy'n achosi'r cwbwl.'

'Mi a'i weld o. Ond cyn imi fynd mi faswn i'n licio cael

p'nawn yn y wlad efo'n gilydd, dim ond chdi a minna, wrth yr afon. Mae'r tywydd yn braf a mi elli adael dy waith am un p'nawn.'

'Rhaid inni wneud y p'nawn a gadael y gwaith; mi awn ni 'fory. Mae'n rheitiach i ti gael mymryn o bleser.'

Prynhawn rhwng cromfachau ydoedd; yr oedd yn amhosibl cael diwrnod ar ei hyd i wagsymera. Gwaith gan Gruff yn y bore a gwaith yn y nos. Ni chawsom amser i loetran a syllu ar liwiau'r hydref fesul coeden, dim ond eu gweld yn un clwt o arlliwiau copr yn rhedeg i'w gilydd. Yr oedd yr haul mor gynnes fel na theimlwn mai rhedeg trwy liwiau marwolaeth yr oedd y car; lliwiau bywyd canol oed oeddynt a golwg para'n hir arnynt. Eisteddasom ar hen gotiau ar lan yr afon i fwyta ein brechdanau, a syllu'n ddiog drwy loywder y dŵr ar y graean ar y gwaelod, a'r haul gwan yn disgyn ar un garreg a gwneud iddi daflu ei gwreichion o oleuni fel seren. Gorweddais yn fy hyd wedi bwyta a throi fy wyneb at yr haul a mwynhau ei wres ysgafn ar fy nghroen; yr oedd aroglau'r pridd yn falm i'r ffroen. Daethwn â'r *Haf a Cherddi Eraill* gyda mi, a gofynnais i Gruff ddarllen y soned *Dinas Noddfa* imi. Darllenai'n odidog a'i lais mwyn yn rhoi i mi'r un pleser ag a roddai'r awel bach a chwaraeai o gwmpas fy mhen. Ond er cael fy annog gan y bardd i ddilyn y doeth a chyfodi imi gaer a bod yn saer fy nef fy hun, ni fedrwn. Pan ysgrifennwyd y soned, yr oedd y profiad, mae'n sicr, yn gywir i'r bardd; yn daer am gael ei fynegi. Eithr i mi heddiw, mwynhad pleserus i'r synhwyrau oedd y geiriau; mwynhawn hwynt fel yr adroddai Gruff hwynt; llifai eu melyster drosof. Ond pan godais ar fy eistedd, gwyddwn mai geiriau oeddynt; yr oeddwn i wedi codi caer, nid yn noddfa, ond yn fur o dywyllwch. Cofiais yn sydyn fod Melinda yn mynd i ffwrdd ymhen ychydig ddyddiau, a rhedodd cryndod oerni drwy fy nghnawd. Diflannodd hwnnw wrth i'r car redeg yn gyflym tuag adref; yr oeddwn wedi cael ennyd fechan o bleser.

Euthum i weld y meddyg drannoeth; ni fedrais ddweud ond ychydig wrtho, fy mod yn ddigalon ac yn wan. Rhoes yntau gyffuriau imi.

7

Y prynhawn hwnnw ar lan yr afon oedd y prynhawn
pleserus olaf a gefais cyn dyfod i'r fan yma. Daeth
Melinda i ganu'n iach cyn mynd i ffwrdd. Gwisgai
ddillad newydd; côt dri chwarter o frethyn gwyrdd
cynnes a sgert yr un fath; het ffelt yr un lliw. Fe ddeuai
adref efo phynnau o ddillad newydd eraill. Ni
wenwynwn wrthi; dyna'i phleser; fy mhleser i fuasai
dyfod yn ôl i fwynhau'r pethau a fwynhawn dro yn ôl.
Yr oedd hi yn llawn afiaith o edrych ymlaen; llwyddais
innau i ddal wyneb a ddangosai fy mod yn mwynhau'r
cylch bychan yr oeddwn yn byw ynddo. Siaradai'n
gyflym; teimlwn innau wrth iddi siarad nad oedd yn
mynd ddim pellach na'r siop.

'Mi ddo'i â ffrog newydd iti o Baris,' meddai, a mynd
allan cyn imi gael diolch. Gwelwn dwll gwag yn fy nhŷ
i fy hun wedi iddi fynd. Dilynai fy meddwl hi fore
trannoeth i Lundain, i'r porthladd awyr ac i Baris, er nas
gwelswn erioed. Ni buom erioed yn byw a bod yn nhai
ein gilydd, ond yn awr gan nad oedd i'w chael, yr oedd
y chwithdod yr un â phe buasai wedi byw gyda ni er
erioed. Euthum i mewn i'w thŷ yn y prynhawn; yr oedd
mor dawel ag eglwys; disgwyliwn glywed rhywun sâl yn
griddfan yn y llofft. Symudodd rhywbeth a neidiais. Yr
oedd pwced a'i hwyneb yn isaf yn y gegin a chadach
llawr wedi ei daenu drosti; y cadach llestri wedi ei roi ar
ymyl y sinc; llestri'r brecwast olaf a gafodd wedi eu rhoi

yn dwt ar y bwrdd wrth ei ochr. Pe bai hi'n dyfod yn ôl y noson honno buasai'r pethau yma yn edrych yn wahanol, yn ddisgwylgar a siriol; yn awr edrychent yn ddim byd. Yr oedd mwy nag amser o wahaniaeth rhwng diwrnod a thri mis. Oedais o gwmpas y tŷ; euthum i'r llofftydd a gweld sgert yn hongian ar gefn y drws, y sgert a wisgai pan ddaeth acw y bore wedi inni ddychwelyd o'r bwthyn. Wrth ei phasio clywn aroglau ysgafn hoff bersawr Melinda. Yr oedd potel fechan ohono ar y bwrdd ymwisgo. Rhoddais ychydig ohono ar fy hances boced a difaru. Yr oedd persawr Melinda gymaint rhan ohoni â'i chroen; arnaf fi yr oedd yn ddieithr.

Euthum yn ôl i'm tŷ fy hun; canai'r tegell ar y stôf; canai Nel y grwndi ar ei phlanced; yr oedd Gruff yn ysgrifennu yn ei gell; symudwn innau ôl a blaen yn y gegin; tawelwch diog y prynhawn dros bob dim. Mor braf y buasai prynhawn fel hwn pe bawn i'n gallu edrych ymlaen at drannoeth, neu edrych yn ôl at y diwrnod y buom wrth yr afon. Yr oeddwn yn sefyll yn fy unfan mewn amser, ac eto'n gorfod symud fel pe bawn ar y grisiau esgyn yn stesiynau Llundain.

Byddai'n rhaid imi fynd i'r seiat y noson honno; nid oedd hynny cyn gased gennyf â mynd i'r cyfarfod gweddi. Cylch trafod oedd y seiat i mi; nid oedd ynddi gyffesu pechodau mwyach. Faint a gymerai neb am gyffesu ei bechod? Ni buaswn i fy hun yn cymryd y byd am fynd yno a dweud fy mod wedi colli fy ffydd. Ni chredwn i fod neb yn cyffesu ei wir bechod yn y gorffennol ychwaith; pechodau gwneud oeddynt a dagrau ffug. Yn y tai y byddai pobl yn golchi eu dillad budron ac nid yn y capel.

Eisteddai deuddeg ohonom mewn congl yn yr ysgoldy. Mewn conglau y cynhaliem gyfarfodydd erbyn hyn; hen bobl wedi mynd i'r gongl ac yn swatio; eto yn disgwyl i rywbeth ddigwydd. Edrychai'r hen bregethwyr oddi ar y parwydydd arnom gyda dirmyg debygwn i. Yr oedd y muriau eu hunain yn ddigon i godi'r felan ar unrhyw un, efo'u paent lliw llaid; y ffenestri uchel ni ellid gweled cymaint â chorn simdde trwyddynt, a'r gorchuddion lampau budron. Yn y panel coed gyferbyn â mi yr oedd ymylon cainc yn ffurfio dau lygad heb fod yr un fath â'i gilydd. Yr oeddwn wedi syllu a syllu ar y ddau lygad yma ers blynyddoedd. Hwy a brofai fy niddordeb o gyfarfod. Prin y sylwn arnynt mewn cyfarfod diddorol. Byddai fy llygaid wedi serio trwyddynt pan geisiai rhywun siarad a methu â mynd yn ei flaen (nid oedd huodledd yn un o nodweddion ein haelodau ni). Newidiai'r llygaid eu mynegiant wrth imi syllu arnynt; weithiau byddent yn ddigrif, weithiau'n drist, weithiau'n ddigllon; heno yr oeddynt yn ddigllon. Hanes y prynwyr a'r gwerthwyr yn cael eu troi allan o'r deml oedd y pwnc, ac yn lle ei drafod fel yr oedd, fel condemniad ar halogi'r deml, fe aeth digllonedd Crist yn ddadl dros ddefnyddio grym ac yn ddadl dros ryfel. Gwelwn feddwl Gruff yn gweithio, 'Mi'r ydach chi wedi colli'r pen llinyn ers meitin; digllonedd cyfiawn heb golli bywyd sydd yma; ond mae'n well na dim, mae'n gorfod gwneud i chi geisio meddwl; mae hynny'n well na bod heb feddwl o gwbwl. 'Rydw' i'n gorfod tynnu'r siarad yma allan ohonoch, fel petawn i'n tynnu pren o'r ddaear gerfydd ei wreiddiau. Mi geisia'i egluro fy meddyliau fy hun ar y diwedd.'

Merched oedd mwyafrif y cynulliad, merched hen a chanol oed; nid oedd yno neb ifanc. Edrychai pawb yn fodlon, fel pe bai'r hyn a ddywedent yn mynd i newid cwrs y byd. I mi yr oedd yr holl siarad yn waeth na diddim, a theimlwn fel pe bawn ar fin ffrwydro wrth weld y bobl hyn yn edrych fel gwroniaid y mannau cudd, dywediad a godai gyfog arnaf. Os oeddynt yn gudd, sut y deuai neb i wybod amdanynt? Yr oedd ein diniweidrwydd yn beth doniol. Yna cododd hen ŵr ar ei draed, hen ŵr diddrwg didda nid amheuai neb ei onestrwydd. Dywedodd nad oedd yn rhaid inni boeni nac ofni; fod Duw yn gofalu amdanom. Edrychai'r merched yn angylaidd a'u pennau ar un ochr. Wrth iddo siarad rhwbiai ei fraich dde ar hyd pen y fainc fel pe bai'n llifio coed. Cododd ei lais, 'Na, ni ddaw rhyfel byth, "Yr Arglwydd sy'n teyrnasu, gorfoledded y ddaear".' Aeth y festri'n dywyll imi; gwelwn wyneb Gruff megis trwy len, pan waeddais, 'Na, 'dydach chi ddim yn iawn, y peisiau sy'n teyrnasu, gorfoledded y ddaear.' Nid oeddwn yn ymwybodol o neb na dim; ond teimlais fraich Gruff amdanaf a'i fod yn fy nghario fel mochyn bach mewn ffair i gegin y capel.

Ni chofiaf sut yr euthum adref, eithr gwelais gegin fy nhŷ trwy niwl a Gruff a Geraint yn rhuthro o gwmpas, un yn gwneud paned o de a'r llall yn mynd at y teleffon. Cyn imi yfed y te neidiais ar ben cadair a gweiddi:

'Rŵan gwrandewch i gyd mae arna'i eisio dweud yr hyn sydd ar fy meddwl i mae crefydd wedi mynd yn bricsiwn 'does yna ddim crefydd heddiw mae pawb wedi'i gadael hi pawb a mynd i ffordd i hunain i uffern pobol y capel ydy'r gwaetha ohonyn' nhw i gyd am i bod nhw'n cymryd arnyn'i bod nhw fel arall mae pobol y byd yn well o lawer yn well am roi at bob dim mae pobol y capel yn torri cnau mwnci yn ddwy yn codi crocbris am bob dim yr un fath â phobol y byd y geiniog ucha ydyw i hegwyddor nhwtha maen' nhw'n llwgu'r merched sy'n llnau iddyn' nhw ac yn mynd i hel rhenti tai sydd wedi'i condemnio yn i cotia ffwr arian arian ydyw pob dim hel arian fel marblis i'w rhoi yn y banc pobol byth yn twllu'r capel yn dŵad yno i briodi am i fod o'n neisiach a nhwtha a'u boliau at i trwyn maen' nhw'n treio siarad yn glyfar yn y seiat a'r Ysgol Sul ar beth y dylai pobl i wneud a chanddyn nhwtha ddim mymryn o ffydd dydyn' nhw ddim yn dallt yr emynau ac yn gweiddi wrth ganu'r pethau tyneraf O weiddi bendigedig fydd gweiddi'r dydd a ddaw mi'r ydw i'n dy weld ti Gruff yn mynd i ddweud wrtha'i mod i cyn waethed â nhwtha mi'r ydw i'n gwybod hynny ond mi'r ydw i'n gwybod hefyd fy mod i'n gwybod fy mod i'n gwybod 'dydy'r lleill ddim mae'r byd wedi i ddinistrio'i hun cyn i ryfel wneud hynny dyma ddiwedd y byd mae dyn wedi'i ladd i hun drwy'i hunanoldeb a mi'r ydw'i yn dy weld di Gruff yn mynd i ddweud bod yna ychydig bach o bobl anhunanol yn halen y ddaear o hyd ac y bydd rheiny yn achub y byd eto fedra i ddim credu hynny . . .'

Mi welwn wyneb Geraint fel pe bai cyffylsiwn wedi ei gymryd, yn mynd yn bob stumiau, fel pe bai ar fin chwerthin, ar fin crïo, ar fin bod yn ddifrifol. Ar hynny, dyma Nel y gath yn neidio ar ben y gadair ac yn rhwbio ei chorff yn garuaidd yn fy nghoesau. Chwarddodd Geraint dros bob man; rhoddais innau glewtan iddo ar draws ochr ei wyneb, a disgynnais oddi ar y gadair.

Euthum i'r gell a gofyn am rif Melinda ar y teleffon; daeth y gath yno a neidio ar y bwrdd wrth fy ochr a chanu'r grwndi. Rhoddais fraich y teleffon i lawr a cherdded yn araf at odre'r grisiau. Neidiodd y gath i lawr a cherdded ar hyd ochr wal y lobi. Wrth roi fy nhroed ar y grisyn cyntaf gwelwn hi yn cerdded yn glos wrth y wal â'i chynffon i fyny, fel y gwelsoch-chi droseddwr mewn ffilm yn cerdded yn y cysgod ar hyd wal dywyll, yn cadw iddi cyn nesed ag y medr rhag i'r plismyn ei ddal. Wedi cyrraedd y pen pellaf troes yn ei hôl ac edrych arnaf fi, ond gan na chafodd ddim croeso aeth yn ôl i'r gegin â'i chynffon yn llipa. Daeth Gruff allan o'r gegin a gofyn:

'At bwy yr oeddet ti'n ffonio?'

'At Melinda.'

'Ond mae hi i ffwrdd.'

'Mi'r ydw i'n gwybod, ond mi'r oedd i thŷ hi'n fyw efo'i phresenoldeb hi, yr un fath â gwyfyn marw yn crynu ar law dyn a'r cryndod yn gwneud iddo edrach fel petai'n fyw.'

Euthum i fyny'r grisiau i'm llofft a Gruff yn dŵad y tu ôl imi. Yr oedd Gruff yn syfrdan ddistaw pan dynnwn amdanaf. Am y tro cyntaf ers talwm teimlwn ei fod yn beth braf cael gorwedd yn y gwely. Daeth Geraint i fyny â phaned o de imi. Rhoddais fy mraich am ei wddw a dweud ei bod yn ddrwg iawn gennyf ond fy mod yn sâl iawn. Aeth yntau i grio. Daeth y meddyg a rhoes bigiad imi gysgu. Trannoeth dymunais i fy hun gael mynd i'r Wenallt.

*   *   *   *

Dyma fi wedi medru mynd o gwmpas fy mhrofiadau ac edrych arnynt yn oer a heb gyffro. Llwyddais i fynd o'u cwmpas heb faglu unwaith na dyfod i gwlwm. Fe'm gwelwn fy hun fel pe bawn yn mynd o gwmpas Stafell Cynddylan, yn teimlo fy ffordd fel dyn dall tua'r diwedd pan dorrodd y fflodiart. Adfeilion digon hyll oedd y profiadau ac yr oedd edrych i mewn arnynt trwy'r tyllau yn gofyn tipyn o galon. Ond taflai'r haul ei oleuni weithiau trwy dwll a gwneud rhimyn ar draws y glaswellt fel yr un a welais i ar draws blodau'r ardd y noson cyn inni fynd i'r bwthyn ym mis Awst. Tyfasai glaswellt ar lawr y Stafell a rhoddai'r rhimyn golau ryw sirioldeb iddi er gwaetha'r tyweirch barfog. Tarawai'r haul ar y cerrig lle unwaith y buasai tân, ac nid oeddynt mor llwyd yng ngolau'r haul. Gwnâi i mi deimlo y cyneuid tân yma eto ac y deuai plant i gynhesu eu dwylo wrtho ac i wau darluniau yn ei fflamau. Ond yr oedd gwallt Heledd yn gynhinion blêr dros ei llygaid; ei mantell yn gyrbibion o gwmpas ei thraed. Ni welai hi obaith; nid oedd ganddi hi deulu; troes ei chefn a dychwelyd i'r goedwig ac i'w gwallgofrwydd. Trois innau fy nghefn arni a mynd i gyfeiriad arall a'r haul ar fy wyneb.

Nid oedd yr wythnosau a dreuliais yn y lle yma yn rhan o'r profiadau. Ymlonyddu a wneuthum yma, cymryd cyffuriau, derbyn llythyrau ac ymwelwyr fel pe bawn mewn ystafell aros, a'm bod yn disgwyl am gael mynd i mewn i rywle i edrych am rywun, a'r rhywun hwnnw oeddwn i fy hun.

8

Yr oeddwn mor llipa â grifft ar ôl ateb cwestiynau'r meddyg, ac nid oedd olwg ei fod am orffen yn fuan. Cawn drafferth i ddal fy nghefn yn syth. Hyd yma ni buasai'n anodd ateb, cwestiynau oeddynt ynghylch fy nheulu a'm cefndir. Eithr pan ddaeth at y cwestiynau personol teimlwn yn wahanol. Nid oedd dim yn agwedd y meddyg a'i gwnâi'n rhy hawdd imi ateb ei gwestiynau, na dim a'i gwnâi'n anodd ychwaith. Yr oedd ef fel pe bai yn ei gadw ei hun yn ôl; yn holi fel ffurflen. Er hynny, ni fedrwn i anghofio bod yno berson byw o'm blaen a dderbyniai i'w ymwybod ei hun y pethau mwyaf dirgel yn fy nghalon. Yr oedd yn rhaid ei wynebu gan mai'r pethau dirgel hyn a ddaethai â mi yma, ac os oeddwn i gael mynd adref, neu'n hytrach, os oeddwn wedi gwella, yr oedd yn rhaid imi ateb cwestiynau dyn dieithr am bethau a debygwn i oedd yn anodd eu deall i mi fy hun. Gallwn dripio wrth beidio â chofio'n hollol gywir sut y teimlwn y pryd hwnnw, fisoedd yn ôl bellach; mae'n anodd dal fflach o deimlad a'i ddisgrifio ymhen misoedd wedyn. Ond syniais y gwyddai'r meddyg am beth fel hyn yn well na mi. Mwy na hynny, yr oeddwn wedi blino, ond o'm profiad yn y gorffennol, gwyddwn fod yna rywbeth fel ffon haearn yn fy nghyfansoddiad a wnâi imi ddal.

'Mrs Jones, pan ddaeth y digalondid yma i chi gynta', oedd yna rywbeth y tu allan i chi'ch hun yn ych poeni chi, rhywbeth yn y capel neu yn y teulu?'

'Nag oedd, ddim mwy nag arfer. Mae rhyw fân bryderon bob amser mewn capel ac mewn teulu. Dŵad wnaeth y digalondid yn sydyn, ohono'i hun, fel cawod o niwl oer.'

Stopiais.

'Ewch chi ymlaen a disgrifiwch o.'

'Petai o wedi cael i achosi gan bethau o'r tu allan, am y rheiny y baswn i'n meddwl, ond 'doeddwn i ddim yn dal i feddwl am y pethau hynny. I mi, yr oedd y digalondid yn stâd yr oeddwn i wedi mynd iddi; dim diddordeb gen i yn y byd o'm cwmpas, dim yn edrach ymlaen i'r dyfodol; byth yn edrach yn ôl i'r gorffennol 'chwaith. 'Doeddwn i ddim yn medru mwynhau'r pethau oeddwn i'n fwynhau ar un adeg.'

'Sut bethau?'

'Y tŷ, fy mwyd, mynd i'r wlad am dro, gwasanaethau'r capel, gweld drama, darllen, cyfarfod â ffrindiau; mewn gair — syrffed. Ond ymhen tipyn fe aeth y digalondid ei hun yn rhywbeth yr oeddwn i yn i weld mewn darluniau; yn fwgwd am fy mhen; yn glwt o ddüwch; yn rhew; yn niwl; yn bwysau wrth fy nghalon a'r pwysau ar fin torri a disgyn. 'Roeddwn i'n dŵad yn well am bwl go hir, a mi fyddai'n dŵad yn ôl wedyn. A mi ddaeth yna newid yn y digalondid.'

'Ia?'

'Mi sylweddolais ryw ddiwrnod nad oedd y peth yma ddim yn sefyll ar i ben ei hun, i fod o'n sownd wrth rywbeth arall. Mi ddaeth y newid yma pan oeddwn i'n teimlo mai pwysau oedd y digalondid a'i fod ar fin torri a disgyn; mi welis i mai fy ffydd i oedd ar dorri'n rhydd, ac mai'r rheswm na fedrwn i edrych ymlaen i'r dyfodol oedd, nad oeddwn i'n credu mewn dyfodol; 'doedd dim ystyr i fywyd; 'doedd Duw ddim yn rheoli'r byd; 'roedd O wedi'i adael o i ryw ffawd greulon.'

Beglais yn y fan yma.

'Fedrwch chi ddweud rhagor?'

'Nid methu dweud yr ydw'i, ond yr ydw'i yn ffeindio ei bod yn anodd sôn am grefydd wrth neb arall, hyd yn oed wrth fy ngŵr. 'Dydw i ddim yn hoffi siarad duwiol, ond yr oedd gen i ffydd; yr oedd Williams Pantycelyn wedi dweud pob dim drosof fi. Ond fe aeth hwnna i gyd; 'fedrwn i gredu dim.'

'Fedrwch chi egluro beth ddigwyddodd i chi y noson ola' y buoch chi yn y capel?'

'Gwylltio a ffrwydro wnes i'r noson honno; mae gen i dymer go wyllt ar brydiau, ac yr ydw i yn ddiamynedd; gwylltio wrth glywed pobl yn mynegi'r hyn na fedrwn i mo'i gredu fo erbyn hynny, sef mai'r "Arglwydd sy'n teyrnasu." Teimlwn hefyd mai rhagrith oedd o ynddyn' nhwtha; yr oeddan' nhw mor fodlon; 'fedrwn i ddim credu fod i ffydd nhw wedi costio dim iddyn' nhw.'

''Roeddach chi'n dweud gynnau fod ych ffydd chi wedi dŵad yn ôl. Fedrwch chi egluro sut?'

'Mi ddaeth yn ôl yn hollol yr un fath ag yr aeth hi, yn ddistaw. Nid yn ara' deg na dim felly, ond fel rhoi golau trydan ymlaen. Ella bod fy ngŵr i yn y cefn yn rhywle. Y cwbwl fedra i i ddweud ydy i bod hi yna a 'does arna i ddim ofn wynebu pethau rŵan. Y peth oedd arna i i ofn ei wynebu fwya oedd y peth i hun. Ar ôl dŵad yma, mi fyddwn yn treio mynd o gwmpas y peth ddigwyddodd i mi a 'fedrwn i ddim; mi fyddwn yn gorfod stopio meddwl amdano fo, ond erbyn hyn yr ydw' i'n medru mynd dros y peth heb gryndod o gwbl; edrach arno fo fel petai o wedi digwydd i rywun arall.'

Cofiais fy mod wedi gadael pethau pwysig iawn allan ac ychwanegais braidd yn grynedig:

'Yr ydw i wedi rhoi'r drol o flaen y ceffyl.'

'Hitiwch befo am hynny. Dwedwch chi'r hyn sydd arnoch chwi eisio'i ddweud. Efallai mae fi ddaru'ch camarwain chi.'

''Dydw i wedi sôn dim am fy hanes er pan ddois i yma. Ond mi wn i pam; ar y cychwyn beth bynnag, 'doedd dim yn digwydd; yr oeddwn i'n llonydd heb fod yn gwrthwynebu bod yma, a heb awydd arna'i i weld neb, hyd yn oed fy ngŵr. 'Doeddwn i ddim yn cymryd diddordeb yn yr hyn oeddwn i wedi'i adael ar ôl nac yn neb na dim o 'nghwmpas yn fan 'ma 'chwaith. 'Roeddwn i'n gwrando ar y merched yn siarad heb fedru i gymryd o i mewn rywsut. 'Doedd dim yn suddo i mi. 'Roedd o'r un fath i gyd. Ond fesul tipyn mi ddois i weld bod gwahaniaeth mawr rhwng siarad Mrs Hughes, y ddynes bach ag ôl poen arni a'r lleill; ac mi ddois i hoffi'i siarad hi, a drwglicio siarad y lleill. Wedi i Mrs Hughes fynd adre, mi ofynnais i gawn i fynd i'r lle mawr.'

'Pam?'

'Ofn oedd arna i y baswn i'n gwylltio wrthyn' nhw am siarad mor ysgafn. 'Doedd pethau ddim mor hapus wedi imi fynd i'r lle mawr ychwaith; 'roedd Sali mor bryfoclyd ac mi fyddwn i'n cael trafferth i beidio â chymryd sylw o'r pethau cas oedd hi yn i ddweud. Ond mi fedrais beidio. er iddi fy nhemtio lawer gwaith. A wedyn . . . ?'

'Ia?'

'Mi ddois i edrach ymlaen at weld fy ngŵr yn dŵad i'm gweld; eisio'i weld o oedd arna i; mi ddois i deimlo mod i wedi bod yn gas wrtho fo cyn dŵad yma. Yn y dechrau 'doedd hynny ddim wedi poeni dim arna'i i. Ond pan ddoi o yma, 'doedd arna i ddim eisio gweld fawr pellach na fo'i hun; hyd ryw ddiwrnod pan ddaeth ei ffrindiau, dau bregethwr a pherson efo fo. 'Roeddan' ni i gyd wedi cael p'nawn braf efo'n gilydd yr ha' dwaetha yn y bwthyn lle y byddwn ni'n mynd dros wyliau'r haf. Dillad gwyliau oedd amdanyn' nhw y diwrnod hwnnw, a hwyl anghyfrifol gwyliau hefyd; 'roedden nhw'n siarad yn ddigon gwamal ac yn ddigon digalon hefyd am i gwaith. Ond pan ddaethon nhw yma yn i coleri crynion, yr oedden nhw'n edrach yn wahanol ac yn siarad yn wahanol; yn fwy o ddifri ac yn fwy c'lonnog. Rhywsut, mi wnaeth hynny i mi godi 'nghalon. Fedra i ddim dweud sut, ond mi roth ryw awydd gweithio yno'i. Mae un o'r pregethwrs yma yn ddyn gwreiddiol iawn, a dyma fo'n dweud: "Beth petaen' ni yn cael noson lawen yn y bwthyn noson ola'r flwyddyn?" A dyma'r tri arall yn glafoerio o frwdfrydedd dros y peth. Fesul tipyn, dyma finna yn dechrau meddwl bod y syniad yn un da, ac mi deimlwn fy llaw fel petai hi yn ymestyn allan i gyrraedd at rywbeth.'

'Mae'r bwthyn yn o bell o'r lle'r ydach chi'n byw?-'

'Ydy, gryn ddeugain milltir, ond trwyddo fo, hynny ydy, trwy edrych ymlaen at y noson lawen y dois i i fedru edrych yn ôl at fy nghartre a medru dygymod â meddwl am fynd yn ôl yno. Ar y cychwyn 'doedd arna'i ddim eisio clywed fy ngŵr yn sôn am yn tŷ ni hyd yn oed, heb sôn am y capel, ond fi fy hun ymhen tipyn ddechreuodd holi ynghylch y tŷ. A rŵan yr ydw'i yn medru diodde clywed fy ngŵr yn sôn am y capel hefyd. 'Does arna i ddim ofn i wynebu fo erbyn hyn, yn wir 'rydw i braidd yn edrach ymlaen at gael dechrau gweithio yno eto i helpu fy ngŵr. Mae o'n un o'r dynion gora; mae o'n medru diodde pobol. Mi ddylwn i fod wedi dweud hynna i gyd cyn sôn am fy ffydd; achos fesul tipyn y digwyddodd hynna, ond mi ddoth fy ffydd i'n nôl yn sydyn.'

'Wel dyna ni ynte, Mrs Jones. Diolch yn fawr.'

Deuthum allan gan deimlo yr un fath ag y byddwn yn y breuddwydion hynny a gawn, fy mod wedi mynd allan yn noeth lymun, ac yn methu dyfod o hyd i'm coban. Ni allaswn gyfaddef cymaint â hynny wrth neb o'r blaen. Nid oedd arnaf eisiau dim yr eiliad honno ond mynd yn neb ac yn ddim, fel poeri'r gog yn diflannu oddi ar laswellt.

*   *   *   *

Wrth fynd yn ôl i'r ward, penderfynais, beth bynnag fyddai canlyniad y sgwrs yma efo'r meddyg, nad oeddwn am feddwl gormod am gael mynd adref. Ni byddai'r siom gymaint pe penderfynid fy nghadw yno'n hwy; a phan ddaeth y gair fy mod yn ddigon da i gael mynd adre gellais gymryd y peth yn hollol ddigynnwrf. Am y gweddill o'r amser yr oedd Sali mewn ward arall, ac yr oedd tawelwch yn ein ward ni. Cerddwn yn awr ac yn y man i ward y merched diciâu y drws nesa. Yno yr oedd ffenestri mawr yn cyrraedd hyd i'r llawr, a gellid gweld y caeau yn ymestyn hyd i'r bryniau. Byddai mynd i fyd glas unwaith eto yn beth dieithr am ychydig. Ni châi llawer o'r merched hyn byth. Mewn carchar y byddwn innau wedi mynd adref, ond i fod yn garchar lle y cawn ryddid i frwydro; ond yr oedd hen ferched yma wedi gorffen brwydro; yn disgwyl y diwedd pa bryd bynnag y deuai. Na, nid ei ddisgwyl yr oeddynt, dim ond ei aros oni ddeuai.

Wedi i'r diwrnod ymadael ddyfod, rhedai fy nheimladau ôl a blaen rhwng fy nghartref a'r ward. Ceisiwn ffrwyno fy eiddgarwch at fynd yn ôl i'r hen fywyd, a cheisiwn ladd meddalwch fy nheimlad at yr hen wragedd hyn. Yma yr oeddynt hwy i fod, gartref yr oeddwn innau i fod. Caent hwy bob caredigrwydd yma, fwy efallai nag a gaent gyda theulu. Myfi fy hun a welai drueni eu cyflwr o safbwynt dynes ganol oed. Dysgais yn yr ychydig oriau hynny fod yn rhaid imi fod yn greulon os oeddwn i fedru dioddef y byd o gwbl. Euthum at bob un a rhoi cusan iddynt, gan addo y deuai Gruff a minnau i edrych amdanynt cyn bo hir. At y pared yr oedd wyneb Magi ac ni throes ei phen; yr oedd Jane mor llonydd ag erioed ond gwelais ddeigryn yn ei llygad. Byddai rhywun arall yn fy ngwely y noson honno, reit siŵr. Y peth olaf a welais oedd pen Lisi yn mynd o'r naill ochr i'r llall wrth i'r drws agor, a hithau'n ymestyn i geisio gweld y cyntedd. Ni throais fy mhen yn ôl ac ni redais ychwaith ar hyd y cyntedd y tro hwn.